Después del cáncer de mama

Cómo mejorar la calidad de vida durante y después de la enfermedad

A todas las mujeres con cáncer de mama

El éxito final de la reconstrucción post-mastectomía, se obtiene si se alcanza un equilibrio entre lo que la mujer quiere y lo que la cirugía puede ofrecerle. Para ello son necesarias dos premisas: que la paciente tenga una completa información, y que el equipo que la atiende posea una amplia formación. Está claro que para ello es, hoy día, imprescindible la actuación dentro del concepto de Senología, esto es la nueva Rama de la Medicina que defiende el enfoque global e integrador de las diversas especialidades que deben actuar en el tratamiento del cáncer, sin olvidar a la mujer. La amplia experiencia del Dr. Jaume Masiá se ha desarrollado siempre teniendo muy clara esta idea y por ello, no estamos ante un libro de Cirugía Plastica, sino que en él se reflejan, de forma integrada y clara, humanismo y conocimientos de las diferentes especialidades que trabajan conjuntamente en la Senología. Esta obra contribuirá a desarrollar este aspecto que consideramos tan necesario en la lucha contra el cáncer: la información de la mujer sobre todo lo relacionado con su propio seno.

Miguel Prats Esteve
Profesor Titular Responsable del Master de Patología Mamaria
- Senología de la Facultad de Medicina de la Universidad de Barcelona.
Fundador de la Sociedad Española de Senología y Patología Mamaria.
Director de la Unidad de Patología Mamaria - Senología de la Clínica Planas

↓

DESPUÉS DEL CÁNCER DE MAMA

PEREZ GALDÓS, 36 - 08012 BARCELONA
TELÉFONO 93 217 00 88. FAX: 93 217 11 74
PRIMERA EDICIÓN: JUNIO 2009

REALIZACIÓN EDITORIAL: BONALLETRA ALCOMPAS S.L.
DISEÑO Y MAQUETACIÓN: NATALIA MARGARIT
PARA BONALLETRA ALCOMPAS S.L.

IMPRESO EN T.G.SOLER
REF.: OAGO 195
ISBN: 978-84-9867-538-2
DEPÓSITO LEGAL:B-26370-2009

↑

Después del cáncer de mama

Cómo mejorar la calidad de vida durante y después de la enfermedad

DR. JAUME MASIÀ

PRÓLOGOS DEL DOCTOR GABRIEL PLANAS,
DEL PROFESOR UMBERTO VERONESI Y DE CRISTINA HOYOS

integral

SUMARIO

Prólogo →→→

Un libro para las pacientes

A finales de los años 90, aparecieron simultáneamente en Nueva Orleáns, EE.UU., y en el norte de Europa unas novedosas técnicas de reconstrucción de la mama mediante microcirugía, en las que no se sacrificaba tejido muscular como ocurría con las técnicas al uso hasta entonces.

El Profesor Jaime Planas, siempre atento a los nuevos avances en el campo de la cirugía plástica y reconstructiva, deseaba que su centro pudiera también desarrollar tales técnicas. Contactó entonces con el doctor Jaume Masià, joven cirujano que recién llegado de su estancia en diferentes hospitales del Reino Unido, estaba realizando estas novedosas técnicas en un hospital universitario de Barcelona.

En el año 2000, el doctor Masià pasó a incorporarse al equipo médico de la Clínica Planas, como responsable de la Unidad de Microcirugía. Casi una década después, ha realizado ya más de 500 reconstrucciones mamarias microquirúrgicas.

El diagnóstico de un cáncer de mama, supone "un jarro de agua fría" para cualquier mujer. Superada ya la enfermedad, tras un largo proceso, la paciente se enfrentará entonces a las posibles secuelas psicológicas de la ausencia de su mama.

En este libro, promovido por la Fundación Jaime Planas, el doctor Masià, ofrece a estas pacientes y sus familiares una información muy valiosa para poder afrontar, desde el impacto de la primera noticia, todas las siguientes fases que deberán superar.

En su primera parte, un "Test" permitirá al lector valorar su grado actual de conocimientos sobre la materia. Yo aconsejo realizarlo antes de leer el libro y repetirlo una vez finalizado. Descubrirá con sorpresa lo útil que habrá sido su lectura.

Aquí, el doctor Masià nos describe qué es un cáncer de mama, cómo poder autoexplorarse, todas las fases que la paciente experimentará, desde el diagnóstico hasta su aceptación, cómo abordar la enfermedad, cómo prepararse física y psicológicamente para la cirugía, así como los diferentes tipos de tratamientos que se aplican hoy día.

En la segunda parte, dedicada a la reconstrucción de la mama mastectomizada, el doctor Masià explora todas las posibilidades, desde la simple utilización de una prótesis externa, hasta las más avanzadas técnicas de reconstrucción mamaria como el DIEP o el SIAEI. Sus ventajas e inconvenientes.

Responde también a preguntas que no siempre se consideran importantes, pero que preocupan a la mujer afectada: ¿Cuándo podré depilarme las axilas tras la operación? ¿Permite la cicatriz usar biquini? ¿Tiene sensibilidad la nueva mama? ¿Podré tomar el sol o usar sujetador?...

Con el elocuente subtítulo: "La vida después de un cáncer de mama" la tercera y última parte de este libro nos ofrece el testimonio de diversas mujeres que han superado la enfermedad. Nos describen desde su angustia inicial al recibir el diagnóstico, hasta la plena recuperación de sus vidas una vez superada la enfermedad. Testimonios que confío, den esperanza a aquellas mujeres que estén en los primeros estadios de este recorrido.

Existen muchos tratados médicos sobre esta patología que afecta a 16.000 mujeres al año sólo en nuestro país, pero no están dirigidos a las pacientes. Este libro les habla directamente a ellas, con un lenguaje claro, respondiendo a sus preguntas y disipando sus dudas.

Estoy convencido de que esta gran obra divulgativa, realizada por el doctor Jaume Masià, transmitirá a todas aquellas mujeres afectadas y a sus allegados el coraje y la esperanza necesarios para ver la luz al final del túnel.

Doctor Gabriel Planas
Subdirector médico
y cirujano plástico de Clínica Planas

Prólogo →→→

Lo mínimo eficaz

La mama no es una parte cualquiera del cuerpo, ya que además de ejercer sus funciones fisiológicas correspondientes, es uno de los símbolos más importantes de la feminidad. La mama representa la maternidad, la vida, el calor del abrazo maternal. Por eso, cuando el tumor elige este blanco, una mujer no sólo se siente amenazada a nivel psíquico y emotivo, sino que también ve peligrar uno de los elementos que construyen su feminidad y sensualidad. Esa reflexión hizo que, cuando me especialicé en este tipo de tumores hace más de cincuenta años, me preocupara no sólo de cómo hacer frente a la enfermedad, sino también de estudiar qué técnicas quirúrgicas podían ayudarnos a preservar esta parte tan preciosa del cuerpo femenino. Fue una concepción pionera de la enfermedad, y en contra de la opinión de todo el mundo científico tradicionalista, empecé a utilizar una técnica conservadora, basada en el principio de lo "mínimo eficaz". La idea era calibrar la intervención quirúrgica a la mínima resección, al mismo tiempo que se garantizaba la eficacia de la operación. Cuando el tumor era de dimensiones reducidas, es decir, de pocos centímetros, y se encontraba localizado en un solo punto, en lugar de extraer toda la mama empecé a explorar la hipótesis de que fuera suficiente extirpar la parte de la glándula mamaria donde se encontraba el tumor para conseguir el mismo resultado. Así fue como nació la técnica de la cuadrantectomía, hoy aplicada en todo el mundo.

El siguiente paso fue reconsiderar la manera de afrontar el tratamiento de los ganglios axilares. De hecho, pensé que la disección radical de los ganglios axilares podía evitarse. Para lograrlo necesitaba aislar el primer ganglio de la cadena axilar e intentar valorarlo como indicador del estado de progresión de la enfermedad. La técnica del "ganglio centinela" representa la segunda gran innovación en la cirugía conservativa del cáncer de mama, ya que permite que muchas mujeres de todo el mundo se ahorren una mutilación inútil.

En esta misma línea de trabajo, cuyo objetivo es conservar al máximo la integridad femenina, la cirugía ha desarrollado posteriormente técnicas radioconducidas que permiten intervenir en estadios iniciales, sin alterar la anatomía normal de la mama, y eliminar tumores tan pequeños que no se pueden percibir con la palpación manual. En la misma dirección ha progresado también la radioterapia, mediante la técnica intraoperatoria ELIOT (Electron IntraOperative Therapy), que se aplica justo después de la cirugía del tumor en el mismo quirófano. Permite suministrar una sola dosis de radioterapia en pocos minutos, cosa que evita a la mujer la necesidad de acudir a un centro de radioterapia las semanas siguientes a la intervención quirúrgica.

A día de hoy podemos decir con mucha satisfacción que el cáncer de mama es uno de los canceres con mayores posibilidades de curación. Si hace treinta años 4 de cada 10 mujeres enfermas no se curaban, hoy son 9 de cada 10 las que superan la enfermedad. Esto es debido a que, gracias a las mamografías y ecografías actuales, se evidencian lesiones tan pequeñas que permiten que el porcentaje de curación llegue casi al cien por cien. De ahí la importancia del diagnóstico precoz, pues actualmente, si la enfermedad se descubre a tiempo, todas las mujeres pueden curarse. Es imprescindible que los médicos transmitamos este mensaje a las mujeres, y que esas mujeres lo transmitan a sus amigas y a sus hijas, en definitiva, al conjunto de su entorno. La medicina puede hacer mucho, pero sin la contribución de las propias mujeres, tiene las manos atadas.

Después de haber hecho todo lo posible para curar el cuerpo, aún queda mucho trabajo para lograr mejorar la superación psicológica de la enfermedad. Siempre digo que el cáncer se debe extraer de la mama, pero también del alma. Por desgracia, no todos los médicos estamos preparados para apoyar a las enfermas a nivel psicológico. En realidad, éste es uno de los puntos débiles que debemos afrontar y mejorar en la medicina del futuro. Para conseguirlo necesitamos luchar por el amor a la vida y apoyarnos en la fuerza del alma y en la voluntad de la paciente, tal como nos demuestran los testimonios que han colaborado en este excelente libro compartiendo su experiencia.

Profesor
Umberto Veronesi
Director Científico del Instituto
Europeo de Oncología
Milán, 23 de abril de 2009

Prólogo →→→

Vencer el cáncer

Mi historia, como la de todos, no es un cuento de hadas, pero tiene un final feliz, porque es así como me siento desde el momento en que dejé de estar enferma y ahora solo soy una mujer operada de un cáncer de mama.

Recuerdo que estando de gira en Brasil me noté un bultito en el pecho. Pensé que no era normal y decidí que nada mas pisar España iría al médico... Llegué a Madrid con una cierta preocupación, que se confirmó cuando me dieron el resultado de las pruebas: "Cáncer". Verdaderamente fue un mazazo y mi primera impresión fue de "Vaya... ¡me tocó! pero me duró muy poco, quise que me durara muy poco, y desde el primer momento, pasado este primer sopetón, supe que ganaría esta batalla. A pesar del ofrecimiento de irme al extranjero, y sabiendo que en España tenemos grandes profesionales, decidí quedarme con los míos, en Sevilla, y me puse en manos del Dr. Juan León Romero, especialista en cáncer de mama. Me operé un 18 de diciembre de 1996.

¿Cuál es la primera lección? Que el destino hay que afrontarlo, si bien no con alegría (¿cómo se puede asumir con alegría un cáncer de mama de alta malignidad?), sí como una parte de la vida que hay que superar, convirtiéndolo en un desafío.

No fue fácil, pero desde el primer momento me agarré a varios aliados: Juan Antonio, mi marido, mi familia, mis ganas de vivir y sobre todo mi amor por... mi baile. Mi gran preocupación si me extirpaban los ganglios era: ¿Podré estirar el brazo? ¿Cuándo volveré a bailar? Porque de bailar no me iba a quitar nada, y menos un cáncer, pensé. Con un imperdible de chupete escondí el drenaje en un bolsillo del abrigo y me fui con mi madre a comprar los regalos de Navidad. De esa forma empecé a planear y cumplir mi estrategia, que empezaba por no bajar la guardia, no sentirme abatida y no hundirme en mi desgracia...

Y esta es la segunda lección: cualquier desafío de la vida puedes superarlo si tienes un por qué.... para mí el porqué era mi familia, pero fundamentalmente mi baile. Me negué en redondo a ocultar lo que tenía y a cancelar un contrato de un mes en el teatro Victoria de Barcelona, así que decidimos adelantar un poco mis sesiones de radio terapia y el 4 de marzo de 1997 presentamos en la ciudad Condal el espectáculo "Arsa y Toma". Adelantamos la 'matinée' de los domingos para que me permitiera tomar el último avión a Sevilla y estar el lunes viendo a mi oncólogo, el Dr. Manuel Codes, y tomando mi sesión de quimioterapia. Las actuaciones en Barcelona fueron todo un éxito y mi medicina nocturna llegaba en forma de aplausos que me tocaba cada noche el alma.

¿Por qué dejarme vencer?, me decía a mi misma, en el fondo solo es un cáncer, maligno, pero solo un cáncer. ¿Voy a consentir que esto me impida disfrutar de lo que más me gusta en la vida? No estoy simplificando: claro que sentía dolor y preocupación, pero quizás más por lo que veía que mi familia padecía, que por mí misma... Para mí esta enfermedad era más un desafío al que había que vencer, como tantos otros que he tenido en mi vida. No estoy simplificando; hacerlo sería un insulto para tantas mujeres que, como yo, han visto un día su vida cambiada por una sola noticia: "Usted tiene cáncer de mama". Ese día la vida se derrumba, los valores cambian. El desafío entonces no sólo es curarse, para ello contamos con maravillosos especialistas, sino que el cáncer no nos venza. Un cáncer de mama no es ningún caramelo y se necesitan al lado parejas fuertes que te quieran con un pecho, con dos, o con ninguno, que te digan lo guapa que estás, lo mucho que te quieren con o sin pelo.

Y esta es la tercera lección, hay situaciones que tú no buscas, pero que te las encuentras. Ante ellas solo caben dos posturas: o te aplanas y te dejas vencer, o te haces una simple pregunta ¿Cómo puedo aprovechar esta situación, que no quiero, pero que no puedo evitar?, entonces la conviertes en una oportunidad, porque sabes que al final no solo tú vas a vencer, sino que además saldrás mas fortalecida, es decir: serás mejor persona.

A todas las que han pasado por ese trance y a las que lo están pasando les mando un cariñoso abrazo, no como una mujer enferma, sino como una mujer que se operó de un cáncer.

Cristina Hoyos
es bailaora flamenca,
coreógrafa y actriz.

Colabora con las asociaciones de investigación y apoyo a mujeres con cáncer de mama AMAMA (Sevilla), SANTA AGUEDA (Puerto Llano), FUNDACIÓN FEFOC (Barcelona), CLUB AGATHA (Barcelona), ASOCIACIÓN IRINA VARGAS (Barcelona) y Rosa Rosae (Valdepeñas).

Además, ha sido reconocida con el Premio Nathwani (Unión Europea) por su labor en la lucha frente al cáncer de mama.

Introducción →→→

Cómo puede ayudarme este libro

En este libro se recoge la experiencia de más de quince años de trabajo con pacientes que han sufrido un cáncer de mama. Me decidí a escribirlo al constatar la falta de información y la desorientación que experimentaban muchas de estas mujeres. Desconocer lo que les sucedía y el miedo ante las posibles secuelas del tratamiento generaba en las afectadas una ansiedad que, además, aumentaba su padecimiento.

Por supuesto, las explicaciones de esta obra de ningún modo pueden sustituir la opinión o el juicio del médico especialista, ni tampoco utilizarse para elaborar un diagnóstico o para indicar un tratamiento. El libro pretende ofrecer una información clara y concisa que pueda ayudar a las mujeres a enfrentarse al cáncer de mama de forma integral. Quiero recordar que, para los médicos, nuestro objetivo final no es sólo curar el cáncer, sino intentar también que las pacientes recuperen la calidad de vida de que disfrutaban antes de la enfermedad.

En este contexto, he optado por exponer de la manera más sencilla posible, lejos de los tecnicismos y del lenguaje médico, mi visión del cáncer de mama y de las posibilidades de que hoy disponemos para superarlo. En determinados puntos, he simplificado la complejidad de la fisiopatología, los métodos de diagnóstico y las terapéuticas para hacer más comprensible y accesible la información a los lectores. Pido disculpas a mis colegas de otras especialidades médicas si en algún momento he minimizado parte de su valioso trabajo.

El libro consta de en tres partes. En la primera, "El cáncer de mama en la mujer", no se busca revisar de forma exhaustiva el proceso del cáncer de mama, sino más bien introducir esta enfermedad y enfatizar algunos aspectos clave, sobre todo cómo conocer mejor la propia mama, cómo abordar la enfermedad o cómo reducir la angustia y el miedo que la mayoría de las pacientes viven al ser diagnosticadas. En esta primera parte, he contado con la estimable experiencia del senólogo, doctor Miquel Prats de Puig.

La segunda parte, "El tratamiento integral: la reconstrucción mamaria", revisa las posibilidades con que contamos para minimizar o paliar las secuelas que dejan los diferentes tratamientos del cáncer de mama. Aquí se explican paso a paso, las diferentes técnicas de reconstrucción mamaria con todos sus pros y contras. Además, se explican conceptos tan importantes como los criterios para elegir el médico que practique la reconstrucción, las expectativas reales de la reconstrucción, cómo prepararse para la cirugía o cómo seguir el postoperatorio. Me gustaría introducir aquí una idea en la que insisto a lo largo del libro: la reconstrucción mamaria es un opción de que deben disponer todas las mujeres que hayan sufrido un cáncer de mama y una opción que ellas mismas deben decidir libremente; sin embargo, para poder tomar esa decisión libre, la paciente debe contar con información clara y fiable de todos los puntos y aspectos de la reconstrucción.

La tercera y última parte, "La vida sigue: las voces de las pacientes", la considero un acto de valentia y de generosidad. Seis mujeres -todas ellas han atravesado este largo y no fácil viaje llamado cáncer de mama- relatan su experiencia, desde el momento en que recibieron la noticia del diagnóstico hasta cómo llegaron a la reconstrucción mamaria, pasando por cómo se enfrentaron y superaron la dureza del tratamiento oncológico. Estoy seguro de que su testimonio constituye el apartado más importante del libro de la misma manera que, como sucede con frecuencia en la sala de espera de mi consulta, las mujeres que conversan con la paciente que acude por primera vez la apoyan tanto como mis explicaciones posteriores.

También he incluido una referencia a las principales asociaciones y grupos de apoyo para las pacientes de cáncer de mama, cuyo trabajo, aportación y esfuerzo resultan inestimables. Desinteresadamente y sin ánimo de lucro, realizan una excelente labor ya que, a menudo, llegan allí donde los médicos no podemos llegar.

Para terminar, quiero remarcar que este libro no busca exponer las habilidades técnicas de los cirujanos plásticos, ni sus aspiraciones ni pretensiones al reparar las secuelas del tratamiento del cáncer de mama. Sólo quiere servir como instrumento de ayuda para todas las mujeres que sufren esta enfermedad con el único objetivo de mejorar su calidad de vida.

Dr. Jaume Masià
Barcelona, 24 de marzo de 2009

Director de la Unidad de Microcirugía
y Reconstrucción Mamaria Avanzada
de la Clínica Planas
Director del Servicio de Cirugía Plástica
del Hospital de Sant Pau (UAB)

RAPHAEL·VRBINAS

_El cáncer de mama en la mujer

"Incluso si supiera que el mundo se acaba mañana,
aún así plantaría mi manzano."

Martin Luther King (1929-1968)

¿Qué sabes del cáncer de mama?

"Es frecuente que cuando alguna mujer se nota un bulto en una mama, su primer pensamiento sea la nefasta palabra cáncer. Pues bien, quiero dejar constancia ahora, de que el 90 por ciento de los bultos o nódulos mamarios son de tipo benigno y de que además la mayor parte de las veces se pueden controlar o tratar médicamente, sin necesidad de cirugía; no deben producir mayores preocupaciones, pues no tienen relación alguna con el cáncer", así de asertivo se muestra el doctor Alfonso Fernández Cid en su libro *La mama y sus cuidados*. Y no le falta razón, ya que la mayoría de los cambios y pequeñas anomalías no son, necesariamente, signo de cáncer.

Sin embargo, si bien es cierto lo anterior, eso no impide que el cáncer de mama se presente como una de las neoplasias más frecuentes en la mujer y una de las primeras causas de mortalidad en Europa. Por eso resulta tan importante, sin olvidar la afirmación anterior y, por tanto, sin caer en la trampa del temor infundado e innecesario, no sólo que conozcamos a la perfección los senos, sino también que realicemos periódicamente exploraciones, tanto en la consulta del médico como en nuestras casas.

Por eso, para que tú misma puedas evaluar tus conocimientos sobre el cáncer de mama, te propongo que te sometas a un test antes de empezar a leer los diferentes apartados del libro. Repasa atentamente las preguntas que se incluyen a continuación y contesta con un sí o con un no y, si lo crees conveniente, recurre al famoso "no sabe, no contesta". Si en la primera lectura dudas o desconoces muchas de las respuestas, no te preocupes: cuando acabes de leer estas páginas seguro que podrás contestar a todas ellas sin problemas. Y por si quieres conocer alguna de las respuestas también te ofrecemos los resultados correctos y una breve explicación acerca de los mismos.

Test para conocer el cáncer de mama | preguntas

1 ¿Los tumores benignos son cáncer?
Sí No

2 ¿El tamaño de los pechos influye para tener un mayor riesgo de sufrir cáncer de mama?
Sí No

3 ¿Usar sujetadores con aros puede provocar cáncer de mama?
Sí No

4 ¿Se puede prevenir el cáncer de mama?
Sí No

5 ¿Hay mujeres que corren más riesgo de sufrir cáncer de mama que otras?
Sí No

6 ¿La actividad sexual puede provocar cáncer?
Sí No

7 ¿Una mamografía puede provocar cáncer de mama?
Sí No

8 ¿Una mamografía detecta el cáncer?
Sí No

9 ¿Todas las mujeres deben realizarse mamografías?
Sí No

10 ¿Los implantes mamarios pueden producir cáncer a largo plazo?
Sí No

11 ¿Tras una reconstrucción mamaria hay mayor riesgo de sufrir una recidiva (reaparición del tumor maligno)?
Sí No

12 Si se reconstruye la mama, ¿se puede seguir controlando la enfermedad con la misma eficacia?
Sí No

13 ¿Se puede realizar la reconstrucción mamaria en el mismo momento de la mastectomía?
Sí No

14 ¿Todas las mujeres mastectomizadas pueden ser reconstruidas?
Sí No

Test para conocer el cáncer de mama | respuestas

1 ¿Los tumores benignos son cáncer?

☐ Sí ☒ No

Los tumores benignos no son cancerosos. Son los más frecuentes en las mujeres. Muchas veces no requieren de un tratamiento quirúrgico, sólo de un diagnóstico, control y seguimiento adecuado.

2 ¿El tamaño de los pechos influye para tener un mayor riesgo de sufrir cáncer de mama?

☐ Sí ☒ No

No, el tamaño del seno no guarda relación con cambios en el riesgo de sufrir un cáncer de mama.

3 ¿Usar sujetadores con aros puede provocar cáncer de mama?

☐ Sí ☒ No

No hay evidencia científica que relacione usar sujetadores con aros y padecer cáncer de mama.

4 ¿Se puede prevenir el cáncer de mama?

☐ Sí ☒ No

No se puede prevenir, pero sí detectar en un estadio precoz. Por eso es importante que las mujeres de entre 30 y 40 años acudan al especialista para realizarse una exploración mamaria cada tres años y que las mayores de 40 años lo visiten anualmente. Además, las mujeres con historia familiar de cáncer de mama deben acudir al médico especialista con más frecuencia. La mamografía tiene como fin detectar el cáncer de mama cuando todavía es muy pequeño, y en este sentido es mucho más eficaz que la palpación (exploración con las manos). Es importante detectar el cáncer en la fase más temprana posible, para así tener más probabilidades de éxito en el tratamiento. Existen medidas generales para disminuir el riesgo de todo tipo de cáncer, como las que vemos reflejadas en el Decálogo Europeo contra el Cáncer.

Decálogo Europeo contra el Cáncer

La Unión Europea ha redactado un decálogo de consejos a seguir para mejorar la estadística de incidencia del cáncer en nuestro continente. Sencillos, lógicos, y en principio fáciles de seguir, su cumplimiento reduciría en un porcentaje muy importante el número de casos de cáncer y mejoraría las posibilidades de un tratamiento precoz y útil.

1. No fume. Fumador: deje de fumar lo antes posible, y no fume delante de otros.
2. Sea moderado en el consumo de bebidas alcohólicas.
3. Evite la exposición al sol.
4. Respete las instrucciones profesionales de seguridad durante la producción, manipulación o utilización de toda sustancia cancerígena.
5. Coma frecuentemente frutas y verduras frescas y cereales de alto contenido en fibra.

6. Evite el exceso de peso.
7. Consulte al médico en caso de evolución anormal: cambio de aspecto de un lunar, un bulto o una cicatriz anormal.
8. Consulte a su médico en caso de transtornos persistentes como tos, ronquera, cambio en sus hábitos intestinales o pérdida injustificada de peso.
9. Hágase regularmente un frotis vaginal.
10. Vigile sus senos regularmente, y, si es posible, hágase una mamografía a intervalos regulares a partir de los 50 años.

5 ¿Hay mujeres que corren más riesgo de sufrir cáncer de mama que otras?

x Sí   No

Las estadísticas actuales señalan que 1 de cada 8 españolas desarrolla un cáncer de mama en algún momento de su vida (AECC, 2006). Por eso resulta vital que aquellas mujeres con unas características físicas o familiares concretas sean especialmente rigurosas en sus visitas al médico.
Existen varios factores que pueden aumentar el riesgo de padecer cáncer de mama, el más importante es ser portador de una mutación genética específica (mutación del BRCA1 o BRCA2), esto ocurre en familias con alto riesgo de padecer cáncer de mama. De menor impacto es lo que los expertos llaman "acumulación familiar de casos", esto ocurre cuando en una misma familia existen varios casos de cáncer pero no se demuestra la mutación genética. El hecho de haber padecido cáncer de mama una vez aumenta las posibilidades de padecerlo de nuevo. Es por ello que a estas mujeres se las trata y controla. Otros factores de riesgo conocidos pero con poco peso son el hecho de tener una menarquia (primera menstruación) temprana, tener una menopausia tardía o haber consumido durante largos períodos de tiempo tratamientos hormonales (más de 8 años de tratamiento hormonal de sustitución en la menopausia). La edad es un factor de riesgo, con el paso del tiempo este riesgo aumenta, de forma que la mitad de los cánceres de mama se diagnostican en mujeres mayores de 60 años. Las dietas ricas en grasas de origen animal, el sobrepeso, el consumo excesivo de alcohol, el tabaquismo y la vida sedentaria (no hacer ejercicio) aumentan discreta pero significativamente el riesgo. Haber tenido un embarazo a término precozmente (antes de los 24 años) y haber dado el pecho más de 6 meses disminuyen discretamente el riesgo.

6 ¿La actividad sexual puede provocar cáncer?

  Sí   x No

Algunas mujeres con cánceres ginecológicos se sienten culpables porque piensan que su actividad sexual previa puede haber originado la enfermedad. Algunas, incluso, creen que mantener relaciones sexuales puede hacer que el cáncer reaparezca. Aunque el cáncer de cuello uterino tiene relación con un virus que se transmite sexualmente, no existe nada parecido en relación al cáncer de mama.

Habla con un especialista acerca de tus dudas, pero es importante que sepas que el cáncer de mama no puede contagiarse, ni puede formarse debido a las relaciones sexuales.

7 ¿Una mamografía puede provocar cáncer de mama?

☐ Sí ☒ No

La mamografía consiste en observar el tejido mamario gracias a la radiología, es decir, es una radiografía del pecho femenino. Para hacer resaltar más la textura del tejido de la glándula mamaria la radiación de la mamografía es de baja intensidad. Las dosis de radiación con los rayos X son tan bajas que no suponen riesgo alguno para la paciente, incluso si esta prueba se debe repetir varias veces a lo largo de la vida.

8 ¿Una mamografía detecta el cáncer?

☒ Sí ☐ No

La mamografía sirve para estudiar el interior del seno y poder detectar pequeñas alteraciones en él: eso permite detectar cánceres de pequeño tamaño en mujeres sin síntomas. Es la prueba más eficaz de la que se dispone en la actualidad y por eso se utiliza como sistema de cribado en las campañas de detección precoz. Desafortunadamente no es perfecta y por eso a veces usamos otros sistemas para complementarla, como la ecografía mamaria y la resonancia magnética de mama. En ocasiones es necesario tomar muestras de tejido para confirmar o descartar una sospecha y usamos alguna de estas técnicas para dirigir agujas de distintos tipos.

9 ¿Todas las mujeres deben realizarse mamografías?

☒ Sí ☐ No

Realizar mamografías periódicas disminuye en un 30 por ciento la mortalidad por cáncer de mama entre las mujeres pertenecientes a la población en que se aplica la prueba.
Así lo demuestran varios estudios científicos, como los desarrollados desde el Hospital Central de Falun en Suecia o el Centro Médico Erasmus en Holanda, ambos divulgados por la revista *Lancet* en 2003. Como el cáncer de mama es el cáncer con mayor mortalidad entre las mujeres, se recomienda realizar estas exploraciones periódicas, incluso en mujeres sin síntomas, con una periodicidad variable según la franja de edad:

- Antes de los 40 años, se aconseja una mamografía inicial hacia los 35 años y, a partir de esa edad, repetir la prueba como mínimo cada tres años.
- Entre los 40 y los 70 años, se recomienda una mamografía anual.
- En los casos en que haya parientes de primer grado con cáncer de mama en edad premenopáusica, conviene someterse a mamografías periódicas a partir de los 35 años con intervalos variables en función del caso individual.

10 ¿Los implantes mamarios pueden producir cáncer a largo plazo?

☐ Sí ☒ No

No, en absoluto. Existe evidencia científica, a través de múltiples trabajos de investigación, de que los implantes mamarios no están asociados a un mayor riesgo de cáncer de mama. Por ejemplo, un estudio realizado en Dinamarca analizó a 2.800 danesas que se implantaron prótesis mamarias entre 1973 y 1995. De hecho, los autores descubrieron que esas mujeres presentaban menos riesgo de padecer cáncer de mama que un grupo similar de mujeres que carecían de implante.

11 ¿Tras una reconstrucción mamaria hay mayor riesgo de sufrir una recidiva (reaparición del tumor maligno)?

☐ Sí ☒ No

Reconstruir la mama no influye en la reaparición del cáncer ni tampoco retarda la detección de una recidiva. Que el cáncer de mama reaparezca o no depende del tipo de tumor, de su tamaño, del número de ganglios afectados y de otros múltiples factores.

12 Si se reconstruye la mama, ¿se puede seguir controlando la enfermedad con la misma eficacia?

☒ Sí ☐ No

Hoy no existe ninguna duda de que, tras la reconstrucción, se puede continuar el control del cáncer de mama con eficacia. Los oncólogos y los radiólogos tienen suficiente experiencia con los diferentes tipos de reconstrucción mamaria y, por tanto, pueden realizar el control de la enfermedad con total seguridad para la paciente.

13 ¿Se puede realizar la reconstrucción mamaria en el mismo momento de la mastectomía?

☒ Sí ☐ No

Depende del tipo de tumor y de lo que indique el oncólogo o el especialista en cada caso, pero algunas técnicas de reconstrucción mamaria –como el DIEP que utiliza tejido cutáneo y graso del abdomen– pueden realizarse en la misma operación que la mastectomía en casi todos los tipos de tumores. Ello aporta beneficios psicológicos a las pacientes, que eluden el impacto de verse mastectomizadas y se ahorran una segunda intervención quirúrgica, así como las posibles complicaciones derivadas.

14 ¿Todas las mujeres mastectomizadas pueden ser reconstruidas?

☒ Sí ☐ No

La reconstrucción mamaria debe personalizarse para cada paciente. El equipo médico debe indicar la técnica que puede elegirse en cada caso al conocer qué limitaciones y qué expectativas de resultados ofrecen las diferentes intervenciones quirúrgicas. Pero sí se puede afirmar que hoy existen suficientes recursos reconstructivos como para lograr resultados satisfactorios en todas las mujeres que han padecido un cáncer de mama.

→→→

El cáncer de mama a través del tiempo

El pintor barroco más cotizado, Pieter Paul Rubens (1577-1640), representó en una de sus obras más admiradas, "Las tres gracias", a su esposa Elena Fourment con otras dos modelos. Los tres arquetipos –la afabilidad, la simpatía y la delicadeza– se muestran ligados por los brazos, el velo y las miradas en un entorno luminoso y tranquilo. Sin embargo, en una de estas tres gracias, la joven morena vista de frente, a la que precisamente encarna la esposa de Rubens, se aprecian signos evidentes de un cáncer de mama: una depresión en el cuadrante superior externo de la mama con retracción del pezón. Por otro lado, este genio barroco no fue el único en captar la realidad del cáncer de mama en sus obras. También lo hicieron otros grandes de la pintura como Rafael en "La Fornarina" (1520) o Rembrandt en "Bethsabé con la carta de David" (1654).

En las obras de arte

Una de las modelos que encarnaron "Las tres gracias" de Rubens tenía un cáncer de mama, como se observa en la imagen. Nos lo indican la depresión en el cuadrante superior de la mama y la retracción del pezón.

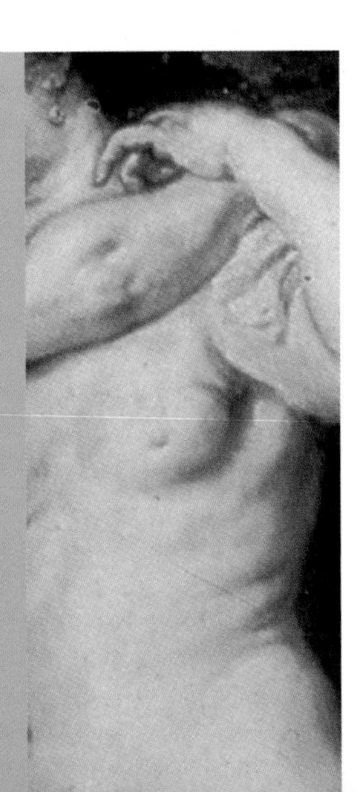

En definitiva, el arte no ha podido dejar de reflejar la vida con todos sus matices y consecuencias. Seguramente entre las razones que explican esta realidad se cuenta el hecho de que el cáncer de mama es uno de los tumores malignos que el hombre conoce desde hace más tiempo. La primera descripción que se conoce de este cáncer (aunque el término cáncer no se utilizaba entonces) proviene de Egipto y data aproximadamente del año 1600 a.C. Se trata del papiro Edwin Smith, el documento médico conocido más antiguo del mundo, donde se detallan 8 casos de tumores o úlceras del cáncer que se trataron mediante cauterización, con una herramienta llamada "la horquilla de fuego". El escrito afirma acerca de la enfermedad: "No existe tratamiento".

La siguiente referencia llega mucho más tarde, más de un milenio y medio después. En el siglo I de nuestra era, Celso y Galeno propugnan como forma de curación la extirpación de los tumores mamarios rodeados de tejido sano. Celso –Celsius– establece entonces la primera clasificación de cáncer de mama, que ya señala como inoperable el cáncer en estadio II o cáncer ulcerado.

A partir de ese momento, los médicos de diferentes épocas describen casos similares, aunque todos llegan a la misma triste conclusión: no existe tratamiento. Tendrá que llegar el siglo XVII para que la ciencia médica logre comprender mejor el sistema circulatorio y, por tanto, para que empiecen a producirse avances clave como, por ejemplo, determinar la relación que existe entre el cáncer de mama y los nódulos linfáticos axilares. Poco después, son los cirujanos Jean Louis Petit (Francia, 1674-1750) y Benjamin Bell (Escocia, 1749-1806) los primeros en estudiar con detenimiento los nódulos linfáticos, el tejido mamario y los músculos pectorales. Sus investigaciones las continúan el norteamericano William Stewart Halsted (1852-1922) y el alemán afincado en Estados Unidos Willy Meyer (1858-1932), ellos desarrollan el concepto de que la enfermedad es un problema local que se extiende por proximidad y a través de los ganglios linfáticos, y describen la "mastectomía radical de Halsted" para curar el cáncer extirpando el tumor y los tejidos circundantes, un procedimiento empleado hasta fechas recientes, incluso hasta finales de la década de los setenta.

Pero si el camino hacia la curación del cáncer de mama se puede rastrear desde épocas relativamente antiguas, las intervenciones de reconstrucción de mama no son tan recientes como podríamos suponer. En 1885 el checo Vinzenz Czerny ya intenta restablecer el volumen mamario de una paciente mastectomizada implantando, en el lecho de la mastectomía, grasa que procedía de lipomas (tumores benignos formados por grasa) de la espalda. Tres décadas después, en 1917, Bartlett transplanta grasa desde el abdomen a la zona mastectomizada. Sin embargo, aquellos primeros intentos fracasaron debido a la reabsorción del tejido graso, ya que no tenía vascularización propia.

Pasaron años de investigación y avances progresivos hasta llegar a la década de los sesenta, cuando el estadounidense Thomas Cronin idea una prótesis cubierta de silicona sólida y rellena de suero salino para colocar en el lugar de la mama mastectomizada. En marzo de 1962, realiza las primeras series quirúrgicas, aunque las prótesis se rompen en todas las ocasiones. Por esa razón, pronto decide sustituir ese relleno por gel de silicona y en 1969 presenta los resultados de su experiencia. En 1965, en Francia, Henri Arion trabaja con una prótesis hinchable que primero completa con dextrano y posteriormente con suero fisiológico. La técnica consiste en colocar, preferentemente en la zona retropectoral, una prótesis que proporciona el volumen adecuado. Esta técnica, algo más perfeccionada, sigue utilizándose en la actualidad.

> En la actualidad, la gran mayoría de los casos de cáncer de mama en estadio precoz y localizado evolucionan hacia su curación de forma satisfactoria gracias a los constantes avances de la medicina.

Sin embargo, ésta no es la única línea de investigación abierta durante el siglo XX. En 1906, el cirujano italiano Iginio Tansini describe la posibilidad de trasponer el músculo dorsal ancho, y parte de la piel que lo recubre, a la pared anterior del tórax. No obstante, su descubrimiento científico se olvida hasta que Brantigan lo retoma en 1974 para restaurar el defecto del músculo pectoral mayor tras una mastectomía radical: constituye la primera descripción moderna de una reconstrucción de mama autógena, es decir, sin prótesis. Apenas dos años después, Olivari reintroduce el colgajo músculo cutáneo de dorsal ancho para reconstruir la mama, aunque es Bostwick quien lo populariza en 1979. Esta técnica consiste en obtener tejido cutáneo y muscular a partir de la región dorsal, donde se utiliza el músculo ancho y la piel suprayacente.

De esta forma llegamos a la era moderna de la cirugía plástica, los años ochenta y noventa, donde el conocimiento anatómico, el avance tecnológico y el esfuerzo de los cirujanos plásticos han permitido optimizar las diferentes técnicas quirúrgicas para poder ofrecer una reconstrucción mamaria de calidad. Hoy en día podemos hacer algo más que "bultos", debemos intentar restituir el pecho perdido.

Se trata de una historia apasionante, protagonizada por los médicos y científicos que lideraron las investigaciones para combatir el cáncer de mama y desarrollar tratamientos integrales que abordaran, no sólo el día después del cáncer, sino todos los días posteriores. De todo ello se habla con detalle más adelante, justamente en la segunda parte del libro, donde se resuelven las dudas acerca de la reconstrucción del seno y se explican las nuevas técnicas que permiten que haya la mínima diferencia posible entre la mama operada y la que no lo ha sido.

Pero, primero, pasemos a conocer cómo es la anatomía de la mama, cómo se previene y se diagnostica el cáncer de mama y qué sucede tras ese diagnóstico, cuando la paciente afronta las pruebas y los tratamientos más adecuados en su caso.

La anatomía de la mama

Aunque el pecho femenino se ha percibido y se percibe como símbolo erótico o incluso como un elemento de la batalla política y social, lo cierto es que fundamentalmente se asocia a la maternidad. De hecho, la mama es una estructura que llamamos "glándula" y que se fija a la piel, que es la que le da forma y la sujeta –formada por múltiples lóbulos y lobulillos–

El viaje a través de los vasos linfáticos

La linfa es un líquido que contiene productos de desecho de los tejidos y las células del sistema inmunitario. La mayoría de los vasos linfáticos de la mama conducen a los ganglios linfáticos axilares. Otros conducen a los ganglios situados sobre la clavícula y a los ganglios mamarios internos. Las células cancerosas pueden entrar en los vasos linfáticos y propagarse a través de ellos hasta llegar a los ganglios linfáticos, desde donde pueden seguir extendiéndose al resto del cuerpo.

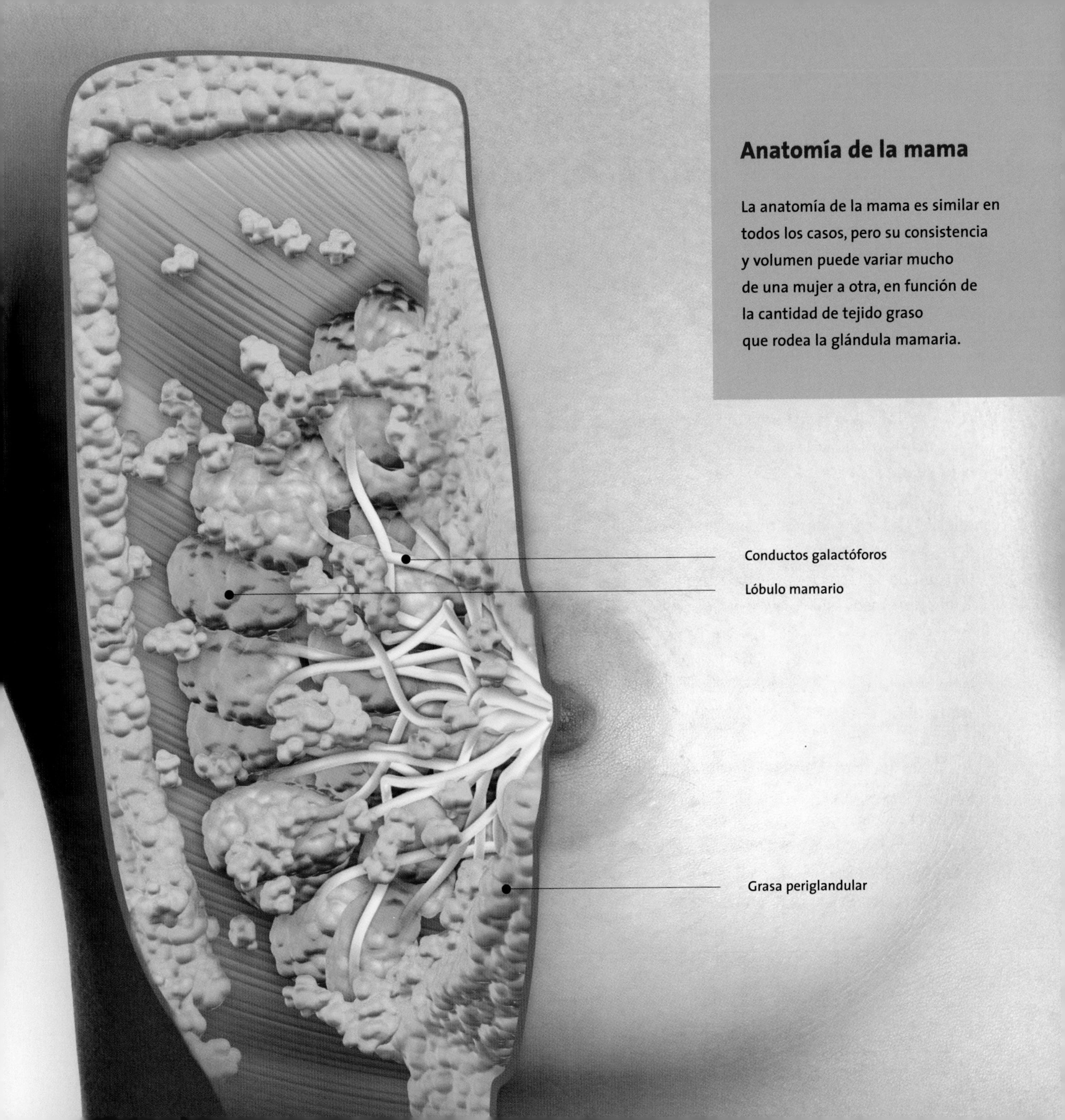

Anatomía de la mama

La anatomía de la mama es similar en todos los casos, pero su consistencia y volumen puede variar mucho de una mujer a otra, en función de la cantidad de tejido graso que rodea la glándula mamaria.

cuya función principal consiste en producir leche durante el período de lactancia del bebé. Los lóbulos y lobulillos están unidos por una serie de tubos, los conductos mamarios denominados "ductos" o "conductos galactóforos", que desembocan en el pezón y a través de los cuales se transporta la leche al pezón, de donde la succiona el recién nacido para alimentarse.

Además, la mama contiene vasos sanguíneos, cuya misión consiste en proporcionar sangre a la glándula, y vasos linfáticos, los encargados de recoger la linfa, que confluyen en pequeñas formaciones redondeadas denominadas "ganglios linfáticos". Los ganglios linfáticos más cercanos a la mama se encuentran situados en la axila y a ambos lados del esternón.

Aunque la anatomía de la mama es similar en todos los casos, su consistencia y volumen puede variar mucho de una mujer a otra. La razón no es otra que la proporción del tejido graso que rodea a la glándula mamaria y que, justamente, se encarga de proporcionar dicha consistencia y volumen.

Por otro lado, los senos no sólo varían de una mujer a otra. En realidad, desde el nacimiento hasta la edad adulta, experimentan más cambios que ningún otro órgano. Durante la pubertad y bajo el influjo de las hormonas femeninas, crecen hasta adquirir su tamaño definitivo. Luego, en la edad reproductiva, sufren pequeñas modificaciones temporales –hinchazón o pequeños aumentos– como consecuencia de los ciclos menstruales. Posteriormente, durante la menopausia, los niveles hormonales de la mujer descienden, lo que provoca que gran parte de la glándula mamaria se atrofie y sea sustituida por grasa.

De todos modos, todas las mujeres que han pasado por la experiencia del embarazo saben que la mama atraviesa el cambio más importante durante la gestación y el puerperio. Durante esos meses, todo el tejido glandular se activa para producir la leche materna, de manera que la mama puede llegar a duplicar su volumen con facilidad. Posteriormente, cuando se cierra este período y llega la supresión hormonal, la mama puede sufrir una atrofia súbita que le suponga una gran pérdida de volumen hasta, incluso, reducir el tamaño que tenía antes del embarazo.

Ahora que ya conocemos algo mejor cómo es la estructura anatómica de la mama, podemos profundizar en cómo afecta el cáncer a este órgano y, en especial, cómo se puede diagnosticar de forma precoz.

El diagnóstico

1. ¿Qué es el cáncer de mama?

Nuestro organismo está constituido por un conjunto de órganos formados, a su vez, por células. Éstas siguen un proceso natural según el cual se dividen de forma regular y reemplazan a las células ya envejecidas o muertas. Así se mantiene la integridad y el correcto funcionamiento de los diferentes órganos

Tipos de tumores

→ **Benignos:** No deben ser causa de preocupación: debe asegurarse un correcto diagnóstico, a veces se recomienda su seguimiento y en ocasiones pueden requerir tratamiento si producen algún tipo de molestia. Existen unas lesiones que podríamos llamar intermedias, en la frontera entre tumores malignos y benignos, que pueden representar más riesgo de cáncer y requerir controles o tratamientos para reducir dicho riesgo.

→ **Malignos:** Existen varios tipos de tumores malignos según el lugar de la mama donde las células crezcan anormalmente y según su estadio de desarrollo. Su etiología u origen es desconocido o, como a veces decimos los médicos, multifactorial, que es lo mismo que reconocer que ignoramos qué causa un tumor maligno. De todos modos, es verdad que algunas mutaciones genéticas pueden significar una cierta predisposición a padecer tumores malignos y que algunos factores ambientales o hábitos de vida pueden conllevar una mayor probabilidad de sufrir esta enfermedad.

del cuerpo humano. Este proceso está regulado por una serie de mecanismos bioquímicos que indican a la célula cuándo debe comenzar a dividirse y cuándo debe permanecer estable. Cuando esos mecanismos se alteran, la célula inicia una división incontrolada que, con el tiempo, si los mecanismos de defensa del organismo no lo pueden impedir, dará lugar a un tumor.

Si además de crecer sin control, las células son capaces de invadir los tejidos y los órganos de alrededor (infiltración) o si pueden trasladarse y proliferar en otras partes del organismo (metástasis), nos hallamos ante un tumor maligno, que es a lo que comúnmente llamamos cáncer. Por tanto, el término "cáncer" designa un conjunto de enfermedades que pueden aparecer en cualquier parte de nuestro organismo y adquirir diferentes formas como consecuencia de un crecimiento anormal de las células. Por eso, no existe un solo cáncer, sino múltiples variedades de esta enfermedad.

Conviene distinguir entre el término "tumor" y el "cáncer", ya que no son sinónimos. "Tumor" sencillamente significa masa, bulto. En realidad, existen dos tipos de tumores con características muy diferenciadas: los benignos y los malignos, y sólo a estos últimos podemos denominarlos "cáncer". De hecho, la mayoría de bultos que aparecen en la mama son benignos, no cancerosos, y se deben a causas inocentes, como los quistes y zonas fibrosas, que pueden combinarse dando lugar a cambios fibro-quísticos. El quiste es como una bolsa llena de líquido y la fibrosis, un desarrollo excesivo del tejido conjuntivo.

Por un lado, la fibrosis no aumenta el riesgo de desarrollar un tumor y no requiere de un tratamiento especial. Por otro, la presencia de uno o más quistes tampoco favorece que aparezcan tumores malignos. De todos modos, si los quistes son grandes, pueden resultar molestos, preocupantes o dolorosos. En estos casos se puede eliminar el líquido con una punción, resolviendo el problema.

Como antes se apuntó, el cáncer no es una entidad única, sino que existen diferentes tipos, que reciben nombres especiales. La mayoría de estos cánceres se denominan "carcinomas" o "adenocarcinomas" y pueden estar localizados en un punto de la mama o haberse extendido, a través de los vasos sanguíneos o de los vasos linfáticos, a un órgano diferente del originario. Como hemos avanzado anteriormente, este proceso o cáncer extendido a más de un órgano se conoce como "metástasis". Sin embargo, de todos los casos de cáncer de mama, sólo el 7-10 por ciento presenta metástasis.

¿En qué se basan los especialistas para determinar que un nódulo o una tumoración mamaria son malignos? Los especialistas barajan diferentes instrumentos y criterios como las imágenes radiológicas, el aspecto macroscópico del tumor (a simple vista) y el diagnóstico histológico o de los tejidos. A partir de ahí, en general, es más probable que un tumor duro e irregular resulte maligno que uno que no lo es, aunque para confirmar que se trata o no de un cáncer de mama hay que realizar un estudio anátomo-patológico. Es decir, hay que estudiar microscópicamente una muestra del tejido mamario afectado para saber qué tipo de células lo componen.

Normalmente, a partir de ese segundo tipo de examen, ya podemos conocer si se trata realmente de cáncer y, en ese caso, ante qué tipo concreto de tumor

Cómo crece un tumor

El tumor puede crecer de tres maneras:

→ **Crecimiento local:** El cáncer de mama crece por invasión directa e infiltra otras estructuras de la mama diferentes a aquellas donde se ha originado o estructuras vecinas como la pared torácica (músculos y huesos) y la piel.

→ **Diseminación linfática:** La red de vasos linfáticos que posee la mama permite que el drenaje de la linfa se realice a varios grupos ganglionares. Los ganglios situados en la axila (axilares) son los afectados con más frecuencia, seguidos por los situados en la arteria mamaria interna (zona central del tórax) y los ganglios supraclaviculares (encima de la clavícula).

→ **Diseminación hematógena:** Se realiza a través de los vasos sanguíneos, en especial hacia los huesos, el pulmón, el hígado y la piel.

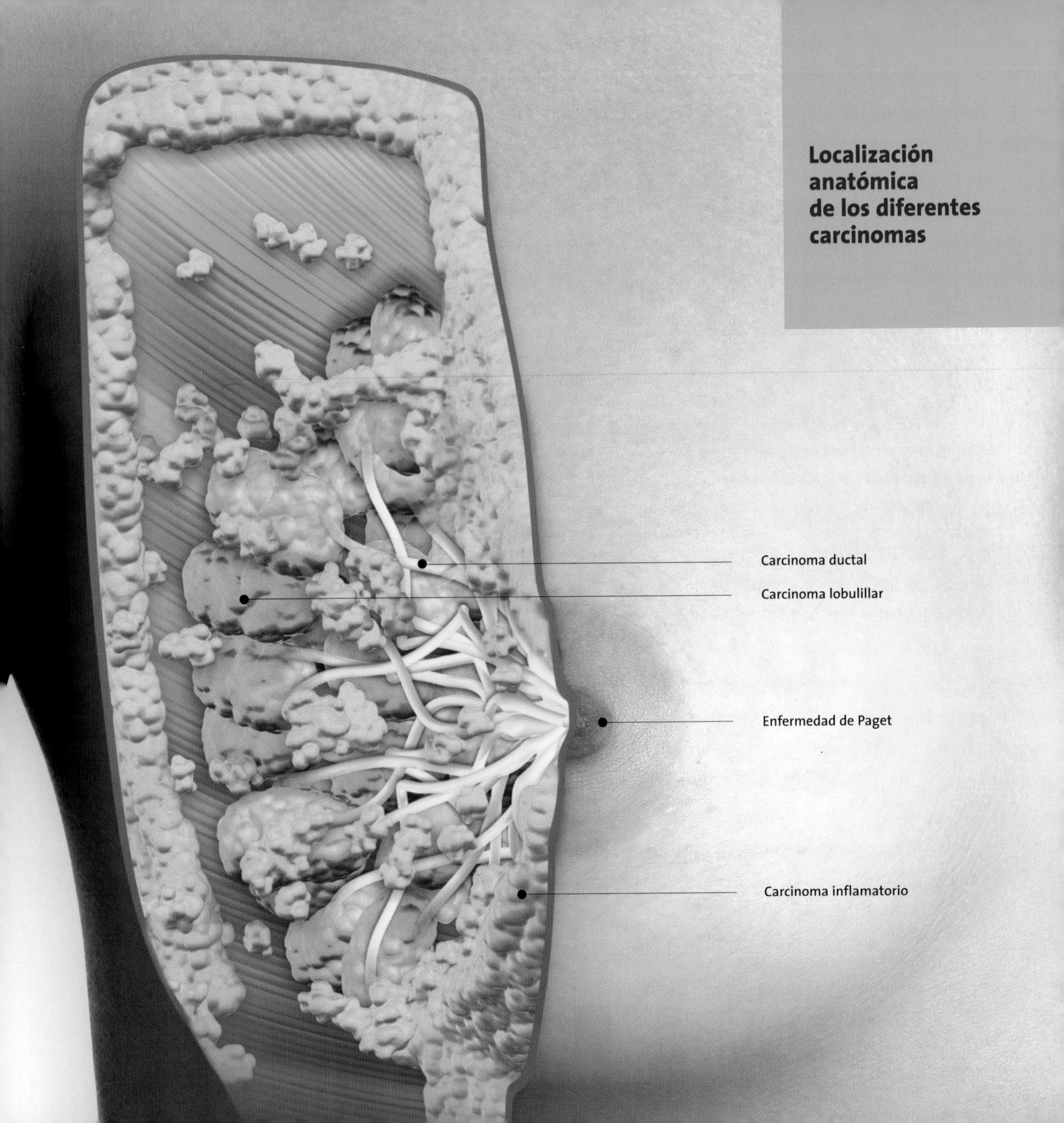

Localización anatómica de los diferentes carcinomas
Carcinoma ductal
Carcinoma lobulillar
Enfermedad de Paget
Carcinoma inflamatorio

maligno nos hallamos. Los tipos más frecuentes de cáncer de mama se clasifican en:

→ **El carcinoma ductal in situ.** Se origina en las células de las paredes de los conductos mamarios. Es un cáncer muy localizado, que no es capaz de producir metástasis y que puede extirparse fácilmente, aunque como es agresivo localmente a veces necesita de una mastectomía para su tratamiento. Casi todos los estudios señalan que la tasa de curación ronda el 98-99 por ciento.

→ **El carcinoma ductal infiltrante (o invasivo).** Se inicia en el conducto mamario pero logra atravesarlo y pasar a los otros tejidos de la mama, de modo que luego puede extenderse a otras partes del cuerpo. Es el más frecuente de los carcinomas de mama ya que suele suponer el 80 por ciento de los casos.

→ **El carcinoma lobulillar in situ.** Se origina en las glándulas mamarias (o lóbulos) y, aunque no constituye un verdadero cáncer, las mujeres afectadas deben someterse a exámenes más frecuentes porque presentan mayor riesgo de desarrollar un tumor invasivo en el futuro.

→ **El carcinoma lobulillar infiltrante (o invasivo).** Se parece al carcinoma ductal infiltrante excepto en que comienza en los lóbulos. Alrededor del 10 por ciento de las afectadas por cáncer de mama se inscriben en este grupo. Es un tumor que puede ser difícil de diagnosticar por sus características.

→ **El carcinoma inflamatorio.** Es un cáncer poco común, que suele representar entre el 1 y el 3 por ciento de los tumores cancerosos de la mama. Sin embargo, se comporta de forma agresiva y crece con rapidez. Hace enrojecer la piel del seno y aumentar su temperatura. La apariencia de la piel se vuelve gruesa y ahuecada, como la de una naranja, y pueden aparecer arrugas y protuberancias. Estos síntomas se deben a que las células cancerosas ejercen un bloqueo sobre los vasos linfáticos. Puede tener características parecidas a las de una mastitis, aunque no responde a los antibióticos.

→ **La enfermedad de Paget.** Afecta la piel del pezón y/o la de la areola, con una apariencia de eccema. Esta enfermedad puede estar asociada o no a un carcinoma ductal pero tiene una incidencia muy baja, de menos del 1 por ciento de los cánceres de mama.

Por lo general, los médicos suelen describir la evolución del cáncer explicando hasta qué punto está localizado o se ha extendido, identificando en qué etapa de desarrollo se encuentra la enfermedad y señalando a qué tipo de tejidos afecta (por ejemplo si es ductal o lobulillar). Para poder confirmar la naturaleza del tumor y su alcance se suelen realizar una serie de pruebas complementarias y, a partir de ahí, el médico puede explicar los posibles tratamientos de la enfermedad, así como su pronóstico y evolución en cada caso particular.

Tal como hemos comentado, una de las claves fundamentales para reducir el riesgo de cáncer de mama reside en la prevención, tanto a través de la

¿Dónde tengo el cáncer de mama?

- → **Localizado.** Designa un tumor que sólo afecta al seno.
- → **Regional.** Los ganglios linfáticos, en general los de la axila, están también afectados.
- → **General.** El cáncer afecta a otras partes del cuerpo.

¿Cuál es su alcance o nivel de desarrollo?

Los especialistas hablan de cinco posibles estadios clínicos, que se fundamentan en el tamaño del cáncer de mama y en si éste se ha extendido a algún tejido cercano:

- → **Estadio 0.** Las células cancerosas no presentan carácter invasivo y están localizadas en el interior de los ductos o de los lóbulos donde se han originado. El tumor es un cáncer in situ.
- → **Estadio 1.** El tumor maligno no supera los 2 cm de diámetro y no se ha diseminado fuera de la mama.
- → **Estadio 2.** Abarca varias posibilidades:
  - El tumor sigue siendo inferior a 2 cm, pero ha afectado a los ganglios de la axila.
  - El nódulo sobrepasa incluso los 5 cm, pero no afecta a los ganglios axilares.
- → **Estadio 3.** Se subdivide en varias formas de cáncer:
  - El tumor mide menos o más de 5 cm de diámetro, pero en ambos casos se ha diseminado a los ganglios linfáticos axilares (estadio 3A).
  - El cáncer se ha extendido a otros tejidos cerca de la mama (piel, músculos o costillas del tórax) o a los ganglios linfáticos de la pared torácica (estadio 3B).
- → **Estadio 4.** Las células cancerosas se han extendido a otros tejidos y órganos del cuerpo. Es una metástasis.

autoexploración de la mama que toda mujer puede realizar en su propia casa, como a través de otras pruebas que ayudan a detectar los posibles problemas o a seguir su evolución si ya se han presentado. Las páginas siguientes explican precisamente cómo realizar la autoexploración mamaria y qué otras formas de prevención están a tu disposición.

2. La autoexploración de la mama

En la actualidad no hay mejor forma de luchar contra el cáncer de mama que detectarlo tempranamente ya que, de este modo, aumentan las posibilidades de éxito del tratamiento. No podemos dejar de insistir una vez más en la importancia de diagnosticar la enfermedad cuando se halla en su estadio inicial para, así, poder atajarla y evitar que se desarrolle en la medida de lo posible.

Entre las primeras medidas aparece la autoexploración mamaria, una técnica que consiste en la propia observación y palpación que la mujer hace de sus mamas. Sirve para poder determinar la aparición de alguna alteración en la forma o el tamaño normal de los pechos y, si ese es el caso, poder tratarla con rapidez. Conviene que la realicen todas las mujeres y que lo hagan desde la juventud, para que esta práctica se convierta en un hábito.

Además, en las revisiones médicas, el facultativo comprueba que no exista ninguna irregularidad en las mamas y, también, que no aparezca ninguna inflamación de los ganglios linfáticos axilares. Los ganglios linfáticos son pequeños nodulitos que se agrupan en puntos clave del organismo, formados por células del sistema inmunitario, que resultan importantes para luchar contra las infecciones. Cuando las células del cáncer de mama llegan a los ganglios linfáticos pueden continuar creciendo, lo que, frecuentemente, supone que se inflamen los ganglios linfáticos en la axila o en cualquier otro lugar. Si estas células cancerosas se han propagado hasta los ganglios linfáticos axilares, es más probable que también se hayan propagado a otros órganos del cuerpo. De todos modos, en la mayoría de ocasiones en que los ganglios linfáticos se hacen palpables no hay un cáncer sino que suelen aparecer por pequeñas infecciones, heridas, etc.

Sin embargo, cualquier mujer puede observar por sí misma estas pequeñas modificaciones con una simple exploración, una autoexploración. La técnica, que es muy sencilla, ayuda a conocer y cuidar el cuerpo. Con ella se aprende cuáles son las características de forma, tamaño y consistencia normales de las mamas y así resulta más fácil apreciar si aparece algún cambio en ellas.

¿Cuándo y cómo hay que realizar esta exploración?

Todos los meses durante la semana posterior a la menstruación porque, durante la regla o en los días anteriores, es normal que las mamas aparezcan más hinchadas o doloridas. Para las mujeres que ya han atravesado la menopausia resulta práctico asociar la autoexploración a un día concreto del mes, pues conviene que se realice siempre en estados similares. En todos los casos, la mujer debería sentirse tranquila y buscar el lugar que crea más adecuado. A algunas les parece más cómodo practicarla cuando se duchan y, sin embargo, otras pueden preferir el momento de acostarse.

> La autoexploración sistemática permite descubrir tumores más pequeños que los que puede detectar el médico o la enfermera, pues la mujer que está familiarizada con sus senos puede detectar en ellos cambios muy discretos.

¿Y qué sucede respecto al cómo? ¿Cómo se debe hacer la autoexploración de la mama? Primero, hay que mirarse las mamas delante del espejo y observar sus similitudes y posibles diferencias hasta conocer esa parte del cuerpo. Una vez reconocidas, llega la segunda fase, que es el momento de empezar a palparlas: así se constata que no existe ningún bulto ni ningún otro síntoma inapreciable a simple vista y que pueda hacer pensar que quizá se tenga un tumor.

Ahora debemos pasar a la segunda fase: la palpación. Durante años se han sugerido maniobras determinadas para una correcta exploración, pero como dice el profesor Miguel Prats, "lo importante es conocer tu propia mama". A veces, métodos demasiado precisos y rigurosos pueden

Observación, el primer paso de la autoexploración

1→ Colócate delante del espejo con los brazos caídos a ambos lados del cuerpo. Primero, observa si tus mamas tienen la misma forma, perfil y tamaño de siempre. Recuerda que las dos mamas no son exactamente iguales y que debes reconocer esas diferencias. Después, localiza posibles zonas enrojecidas, bultos u hoyuelos. Ni la piel debe recordar al aspecto de la piel de naranja, ni los pezones y areolas deben estar retraídos o hundidos.

2→ Luego levanta los brazos hasta ponerlos verticales y comprueba si, en esa posición, notas alguna diferencia entre un pecho y el otro o entre una axila y la otra.

3→ Baja los brazos y une las manos a la altura del cuello. Haz fuerza hacia fuera: así se tensan los músculos del tórax y puedes ver mejor si hay alguna anomalía.

4→ Con los brazos a ambos lados del cuerpo, mira el pezón y apriétalo ligeramente para ver si sale alguna secreción (gotitas o líquido más abundante). Examina también si la areola ha cambiado o no.

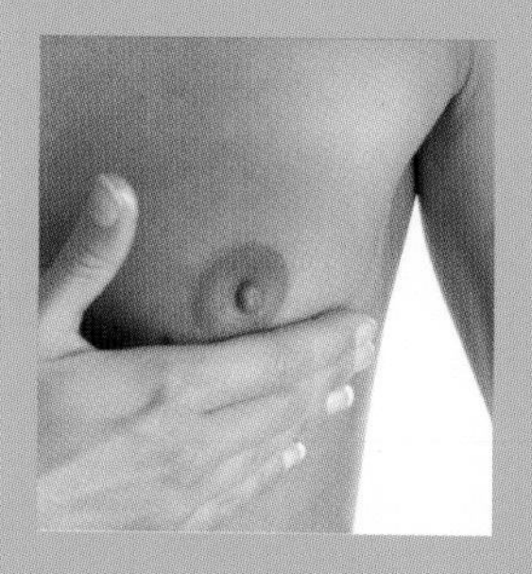

Palpación (Recomendaciones del Prof. M. Prats)

1→ Siempre es más fácil palpar algo si está sobre una superficie dura, y si utilizas las puntas de los dedos haciendo presión centímetro a centímetro.
Por ello es recomendable levantar el brazo y con la mano del otro lado apretar empleando las yemas de los dedos juntos para notar la glándula entre la piel y las costillas.
2→ Has de presionar punto por punto todos los lugares por donde se reparte la glándula. No debes hacer una presión excesiva. Es muy cómodo realizarlo en la ducha o tumbada en la cama.
3→ Para no olvidar ninguna zona es aconsejable recorrer toda la mama circularmente en sentido de las agujas del reloj.

Acude al médico si notas que:

1→ Una de las mamas tiene un tamaño o dureza mayor o menor que la otra.
2→ Aparecen puntitos parecidos a la piel de naranja o cualquier otro tipo de mancha o arruga.
3→ Si no estás dando el pecho ni estás embarazada, pero te sale algún líquido por el pezón.
4→ El pezón se retrae o tiene llagas.
5→ Aparece algún bulto en el pecho o en la axila.
6→ Alguna cicatriz o bulto que ya tenías cambia de aspecto, tamaño o consistencia.

resultar dificultosos para la paciente. Siguiendo los consejos de este eminente senólogo voy a reproducir unas orientaciones publicadas en su magnífico cuaderno de autoexploración "Conocerme es quererte", que estoy seguro que serán de utilidad para conocer mejor la mama y poder palparla adecuadamente:

- La glándula se reparte por todo el interior de la mama e incluso va más allá de lo que parece. Es más abundante hacia la parte superior y la axila.
- Debes familiarizarte con su consistencia. La sensación de bultos y rugosidades, y la presencia de zonas duras es propia de cada mujer y cambiante a lo largo de la vida en según que periodos.
- Debes acostumbrarte a tu mama y a todo lo que percibes con el tacto al explorarla para así saber lo que es normal.

Recuerda, el examen debe realizarse en las dos mamas y en las dos axilas.

3. El diagnóstico precoz

Además de la autoexploración de la mama, resulta imprescindible acudir a la consulta del ginecólogo o senólogo una vez al año. Si el especialista lo considera oportuno, prescribirá alguna de las pruebas médicas que ayudan a detectar o a descartar el padecimiento de un cáncer, así como a seguir su evolución. Entre esas pruebas aparecen la resonancia magnética nuclear (RMN), la biopsia con aguja gruesa (BAG), punción con aguja fina (PAAF)... Pero, sin duda, las dos más relevantes y comunes son la mamografía y la ecografía.

→ **Mamografía:** La mamografía ha sido y sigue siendo la prueba diagnóstica más eficaz para analizar y seguir las mamas. Es aconsejable que las mujeres con factores de riesgo se realicen una mamografía y un examen clínico anual a partir de los 40 años. Aquellas que no presentan factores de riesgo conocidos deben realizarse una mamografía al menos cada dos años a partir de los 40 años, y anualmente, a partir de los 50 años. No obstante, y debido al aumento de cáncer de mama registrado entre las mujeres más jóvenes, las últimas investigaciones sugieren la necesidad de hacerse una mamografía al año entre los 40 y los 49 años. Diferentes entidades médicas, como el National Cancer Institute de Estados Unidos, avalan estas recomendaciones.

Pero ¿en qué consiste técnicamente la mamografía? Se trata de una exploración que emplea los rayos X de baja potencia para detectar zonas anormales en la mama y, por ello, es una de las mejores técnicas para detectar el cáncer de mama incluso en etapas muy precoces. Consiste en colocar la mama entre dos placas y presionarla durante unos segundos mientras se realizan las radiografías. Habitualmente se obtienen dos proyecciones de cada mama, una en su eje horizontal y otra en el vertical, para que ninguna zona de la mama quede sin explorar. No precisa preparar previamente a la paciente, excepto asegurarse de que la piel está limpia, pues los restos de cremas, polvos de talco, maquillaje... pueden contener gránulos

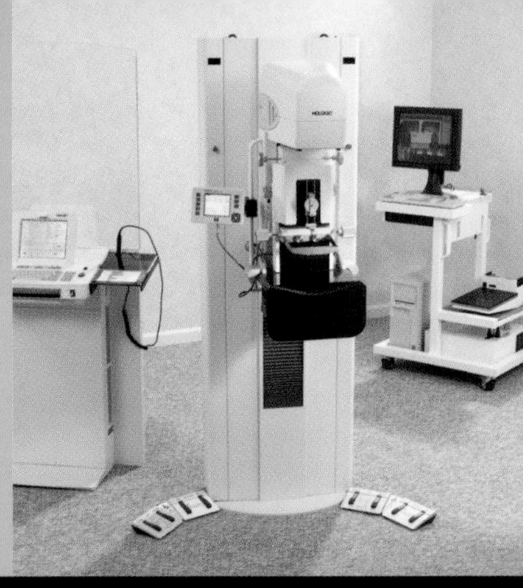

El diagnóstico precoz

El mamógrafo –en pequeño, a la izquierda– emplea rayos X de baja potencia para detectar zonas anormales en la mama. La mamografía –imagen inferior– es la prueba diagnóstica más eficaz para analizar y seguir la mama.

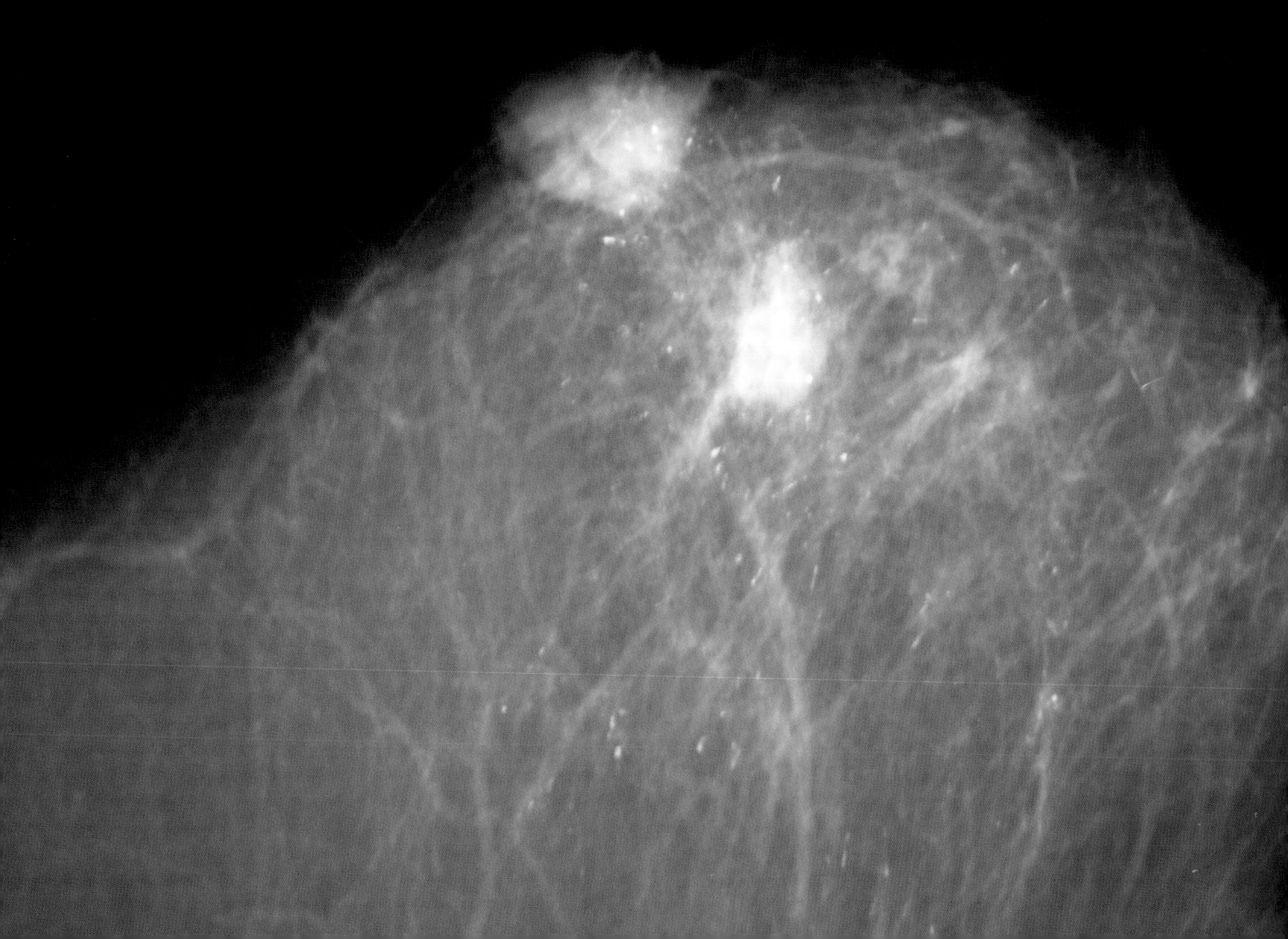

radioopacos que se observan en la mamografía como puntos blancos y que, por tanto, pueden confundir la imagen. Los inconvenientes de la mamografía son mínimos. Se limitan a las molestias que puede ocasionar comprimir el pecho durante la mamografía. Además, no hay ningún peligro por las radiaciones de esta técnica, ya que son de baja potencia.

Las virtudes de la mamografía

Un estudio reciente, el informe del Programa de Cáncer de Mama del National Health Service del Reino Unido publicado en 2006, concluye que las mamografías tienen dos consecuencias directas. Por un lado, la ya conocida reducción de la mortalidad de las mujeres que se someten a mamografías periódicas y que no presentan síntomas de cáncer de mama, ya que esta prueba permite diagnosticar las tumoraciones en estadios muy iniciales. Por otro, las mamografías también consiguen reducir la tasa de mastectomías entre las mujeres en las que se detecta el cáncer de mama a través de los programas de diagnóstico precoz en comparación con las diagnosticadas a partir de los síntomas. Una de cada 8 mujeres con cáncer de mama diagnosticado a través de estos programas nunca habría descubierto su enfermedad si no se le hubiese realizado una mamografía.

→ **Ecografía:** Es una técnica complementaria en el diagnóstico de cáncer de mama, en la que se emiten ultrasonidos que se acaban transformando en imágenes. Con ella se obtiene una imagen distinta del interior de la mama y puede diferenciar los nódulos con contenido líquido (los quistes) de los constituidos por masas sólidas. Resulta clave obtener esta información pues los quistes no suelen requerir ningún tratamiento si no conllevan otros síntomas, mientras que se necesita realizar una biopsia de las masas sólidas para conocer si su naturaleza es benigna o no. La ecografía es muy útil en el estudio de la axila y es una herramienta que permite guiar agujas para biopsia con facilidad.

Además de la mamografía y la ecografía, existen otras técnicas y pruebas complementarias que nos sirven, no sólo para corroborar la existencia de un tumor, sino también para valorar y contrastar el tamaño y la extensión del mismo.

→ **Radiografía de tórax:** Esta prueba sencilla resulta útil para valorar inicialmente si el cáncer de mama ha afectado al tórax y también forma parte del estudio preoperatorio necesario antes de que la paciente se someta a una cirugía.

→ **Escáner o TAC (tomografía axial computerizada):** Esta tecnología, en continuo avance, obtiene imágenes mediante rayos X que permiten estudiar todo el cuerpo con gran facilidad. Por esa razón es una prueba especialmente indicada para analizar hasta qué punto se ha extendido o no el cáncer de mama, es decir, para diagnosticar una posible metástasis.

→ **Resonancia magnética nuclear (RMN):** En algunos casos, una vez diagnosticado el tumor, se necesita recurrir a técnicas de imagen muy sofisticadas como la RMN, que se basa en emplear ondas magnéticas para crear imágenes altamente precisas del interior de la mama. Esta técnica tiene un inconveniente, que es que en ocasiones puede confundir lesiones benignas con un cáncer, y una virtud, que es poder detectar con mucha exactitud el número y extensión de las lesiones cancerosas en la mama, cosa muy importante para decidir el mejor tratamiento quirúrgico.

→ **Tomografía por emisión de positrones (PET):** Esta técnica, una de las más sofisticadas de las que se dispone en la actualidad, sólo se indica en casos muy específicos. Consiste en utilizar un radio-fármaco capaz de fijarse en las zonas cancerosas, para localizar posibles metástasis que no se pueden detectar mediante otras técnicas.

→ **Marcadores tumorales:** Estos marcadores son sustancias que segrega el metabolismo del tumor y que se pueden encontrar en la sangre y la orina de la paciente. Permiten detectar la actividad del tumor y las posibles metástasis a distancia.

→ **Gammagrafía ósea:** Esta prueba de medicina nuclear se realiza para descartar o demostrar la presencia de enfermedad en los huesos cuando el especialista sospecha que puede haberse producido una metástasis ósea.

Una vez detectado el tumor e iniciado su estudio, hay que confirmar el diagnóstico a través del análisis

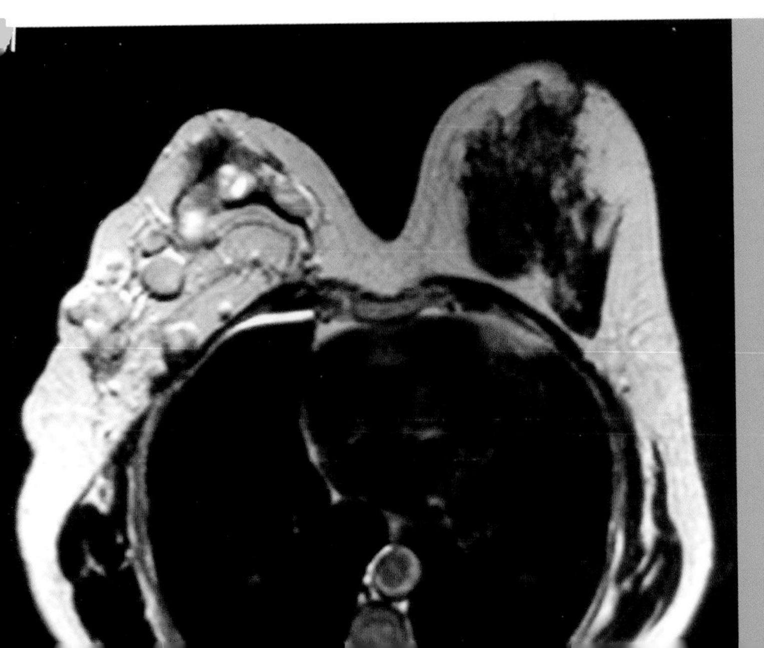

La resonancia magnética

La RMN es una exploración radiológica. La paciente, en ayunas al menos durante las 6 horas previas a la prueba, debe tumbarse en una camilla que se desliza dentro de un tubo que genera campos magnéticos. Dicho aparato emite además ondas de radio que se dirigen a los tejidos que se van a estudiar. Todo ello es incruento y no invasivo. La exploración dura entre 30 y 60 minutos. El principal problema que las pacientes encuentran a la RMN es que puede provocar un poco de claustrofobia, tanto por el tubo en sí como por el ruido que genera el aparato.

¿Cuánto tardan los resultados de una biopsia?

Procesar y estudiar las muestras extraídas en una biopsia requiere cierto tiempo ya que los anatomopatólogos necesitan realizar una serie de preparaciones histológicas. Por eso, aunque es posible visualizar en tan sólo unos minutos las células obtenidas mediante la biopsia con aguja fina o PAAF, para confirmar el diagnóstico hay que extraer una cierta cantidad de tejido y estudiarla antes de obtener los resultados. Este estudio supone de 3 a 5 días de espera.

histológico de los tejidos. Este análisis se puede realizar a través de diferentes pruebas según qué tipo de tumor sea y según dónde esté localizado, pero entre las más utilizadas destacan la biopsia con aguja fina y la biopsia con aguja gruesa.

→ **Punción con aguja fina (PAAF):** Consiste en realizar una pequeña punción de la masa tumoral, a través de la piel y mediante una aguja finísima, que suele realizarse de forma ambulatoria y sin necesidad de anestesia. El médico localiza la masa tumoral palpándola y con la ayuda de una ecografía. Entonces se aspiran las células que forman el nódulo y se analizan microscópicamente para determinar si son de tipo benigno o canceroso. Es una prueba totalmente indolora para la paciente.

→ **Biopsia con aguja gruesa (BAG):** Un poco más compleja, esta técnica no quirúrgica consiste en realizar una punción con una aguja de mayor calibre, que permite obtener muestras de tejido de mayor tamaño y mayor fiabilidad.

¿Ha aumentado el número de enfermas de cáncer de mama?

En las páginas anteriores hemos conocido mejor el cáncer de mama, desde cómo ha evolucionado en la historia a cómo es la anatomía de la mama, pasando por cómo se diagnostica esta enfermedad mayoritariamente femenina. En este punto del camino, podemos preguntarnos si este tipo de cáncer afecta cada vez a más mujeres y, desafortunadamente, la respuesta es que sí. Las estadísticas confirman que ha aumentado el número de enfermas diagnosticadas de cáncer de mama. La Asociación Española contra el Cáncer (AECC) estima que, en la actualidad, alrededor de 2 millones de españolas pueden padecer cáncer de mama a lo largo de su vida y que, en casi la mitad de ellas, esta enfermedad se originará antes de la menopausia. Según esta misma organización, en nuestro país se diagnostican unos 16.000 tumores malignos de mama al año. Además, entre los datos alarmantes no sólo destaca el importante número de afectadas sino también que esta enfermedad se detecta en mujeres cada vez más jóvenes.

Sin embargo, no todas las cifras conducen al pesimismo. Por el contrario, también hay datos para el optimismo y la satisfacción, en especial que la mortalidad por cáncer de mama desciende una media del 1,4 por ciento anual en España (AECC). A esta realidad contribuyen dos factores esenciales: la detección precoz de los tumores, resultado de los programas de diagnóstico precoz puestos en marcha al inicio de la década de los noventa en nuestro país, la mejor formación de los médicos, con la aparición de súper-especialistas en problemas del seno, y la eficacia creciente de las nuevas terapias y tratamientos que se pueden aplicar a las pacientes. Por eso, aunque el número de enfermas aumenta, también lo hace, y en un porcentaje muy significativo, el de mujeres que superan con éxito el cáncer.

Por supuesto, queda mucho camino por recorrer ya que, a pesar del sinfín de estudios que se están realizando acerca del cáncer de mama en todo el mundo, aún se desconoce su origen, aunque todos los indicios apuntan a que están involucrados múltiples factores. No obstante, sí se conocen algunos de los factores de riesgo, aquellas situaciones o factores que pueden aumentar las probabilidades de padecer la enfermedad. Reconocer esos factores puede ayudarnos a tomar algunas medidas preventivas que reduzcan al máximo esa probabilidad como, por ejemplo, concretar todas las revisiones periódicas necesarias con el especialista o introducir cambios en el estilo de vida. De todos modos, hay que recordar que contar con uno o más de uno de

Gran índice de curaciones

Estudios recientes confirman que el cáncer de mama es el tumor maligno más frecuente entre las mujeres y, por tanto, constituye un importante problema sanitario. Por otro lado, está creciendo el número de pacientes diagnosticadas de tumores de mama en estadios poco avanzados, lo que aumenta la probabilidad de curación y supervivencia.
La supervivencia por cáncer de mama en España es superior a la media europea, que se sitúa en el 76 por ciento, y próxima a la de países muy desarrollados, como Francia, Suecia, Islandia o Estados Unidos.

estos factores de riesgo no implica que, con toda seguridad, vayamos a desarrollar un cáncer de mama.

Entre los principales factores de riesgo para contraer cáncer de mama hay que analizar la posible influencia de la edad, los antecedentes familiares, los antecedentes personales, la procedencia étnica y los factores ambientales, los factores hormonales, el período menstrual, los factores genéticos, la terapia hormonal sustitutiva, el consumo de alcohol, el exceso de peso, la dieta y el tabaco.

> Sólo el 50 por ciento de los cánceres mamarios pueden explicarse por factores de riesgo conocidos (AECC), lo que refuerza la importancia de la detección precoz en todas las mujeres.

→ **Edad:** El riesgo de padecer cáncer de mama aumenta con la edad, ya que la AECC señala que el 77 por ciento de los casos se detecta en las mujeres mayores de 50 años. No obstante, las campañas de detección precoz han facilitado que, contrariamente a lo que sucede con otras enfermedades, aumente el número de diagnósticos de cáncer de mama en las mujeres con edades entre los 35 y los 50 años.

→ **Antecedentes familiares:** Aquellas mujeres con un pariente de primer grado –madre, hermana, hija– que haya padecido cáncer de mama presentan más riesgo de padecerlo (riesgo 1,8 veces superior según la AECC). Si se trata de un pariente más lejano (abuela, tía, prima), sólo aumenta el riesgo ligeramente. También puede incrementarse el riesgo si familiares directos han padecido otros tipos de cáncer, especialmente el de ovario.

→ **Antecedentes personales:** Si se ha padecido un cáncer de mama con anterioridad aumenta ligeramente –en un 6 por ciento– la probabilidad de padecer un cáncer en el otro pecho.

→ **Raza y factores ambientales:** Las mujeres blancas son más propensas a padecer esta enfermedad que las de raza negra y las que tienen menor riesgo de padecerlo son las mujeres asiáticas. Sin embargo, parece que el desarrollo de la enfermedad está ligado a los factores ambientales y, sobre todo, al estilo de vida y el tipo de alimentación. Por ejemplo, en los años noventa, se estudió a la población asiática que se había trasladado a California y se observó que las mujeres asiáticas de segunda generación (nacidas en Estados Unidos) tenían el mismo porcentaje de riesgo que el resto de las norteamericanas respecto al cáncer de mama.

→ **Factores hormonales:** Los últimos estudios indican que las hormonas femeninas pueden facilitar el desarrollo de algunos tipos de cáncer de mama (los que responden a los estrógenos, que tienen mejor pronóstico). Pueden desempeñar un rol destacado en la aparición del cáncer de mama la exposición excesiva a los estrógenos (hormonas ováricas), como la que producen ciertos anticonceptivos o la terapia de sustitución hormonal en la menopausia. Los niveles excesivos de estrógenos, el hecho de que su acción no se contrarreste con la de otras hormonas o el tenerlos durante largos períodos de tiempo, puede afectar al aumento de las células y a su posterior división celular irregular. Se desaconsejan tratamientos hormonales prolongados (más de 8 años), especialmente tras la menopausia, y se recomienda usarlos sólo en caso necesario. Este incremento de riesgo es discreto, por tanto estos tratamientos, si estan bien controlados por un médico especialista, son seguros para las mujeres.

→ **Períodos menstruales:** Aquellas mujeres que tienen la menstruación muy jóvenes, antes de los 12 años, tienen mayor riesgo (de 2 a 4 veces mayor) de padecer esta enfermedad, si se compara con aquellas que comenzaron más tarde (después de los 14 años). Lo mismo sucede con la menopausia: las mujeres con una menopausia tardía, después de los 55 años, presentan mayor riesgo de desarrollar un cáncer. Tener un hijo antes de los 25 años disminuye discretamente el riesgo. De todos modos, estos factores, aunque muy recurrentes en los estudios médicos, suelen tener una incidencia muy baja sobre el riesgo de padecer cáncer.

→ **Factores genéticos:** Investigaciones actuales confirman que entre el 5 y el 10 por ciento de los cánceres de mama son de tipo hereditario. De hecho, algunas familias exhiben un alto riesgo de contraer cáncer de mama como resultado de alteraciones específicas en algunos genes, en especial los que se denominan BRCA1 y BRCA2. Según estadísticas recopiladas por la American Cancer Society, las mujeres con esos genes alterados tienen hasta un 80 por ciento más de probabilidades de padecer cáncer de mama e incluso otros como el de ovario, aunque, por supuesto, no todas ellas desarrollarán la enfermedad.

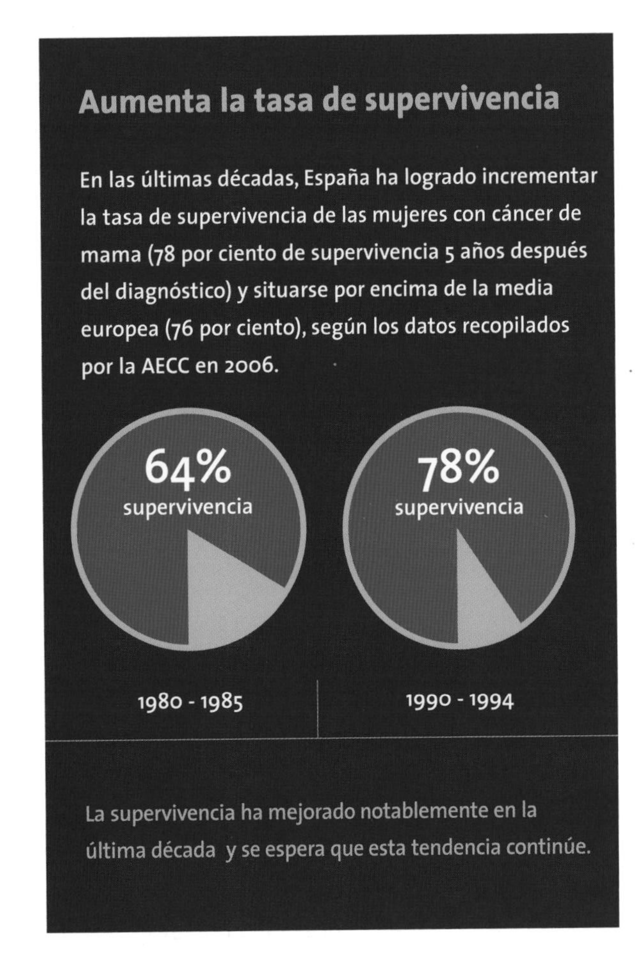

Una vida sana

La falta de ejercicio, una dieta inadecuada, el consumo de alcohol y el tabaco son algunos de los factores de riesgo para contraer cáncer de mama.

Pero no sólo existen factores de riesgo físico, también los hay relacionados con los hábitos y el estilo de vida. Por eso, resulta importante tenerlos presentes y evitar o reducir aquellos en los que se pueda incidir.

→ **El consumo de alcohol:** Consumir alcohol durante años de forma abundante está claramente relacionado con un aumento significativo del riesgo de cáncer de mama.

→ **El exceso de peso:** Existe una relación entre el exceso de peso y un mayor riesgo de padecer la enfermedad, y parece ser que las dietas ricas en grasas de origen animal o industrial podrían favorecerlo, entendiendo que siempre se trata de aumentos de riesgo significativos pero discretos, como con los otros factores comentados.

→ **La dieta:** Como hemos apuntado antes, se cree que el tipo de dieta está ligado con el cáncer de mama. Sin embargo, los estudios realizados hasta ahora no ofrecen resultados lo suficientemente precisos para poder recomendar o desaconsejar alimentos concretos. La evidencia de que la dieta condiciona la aparición de determinadas enfermedades se apoya en el hecho de que, por ejemplo, las mujeres asiáticas presentan mucha menor incidencia de cáncer de mama que las europeas y las estadounidenses.

→ **El tabaco:** El riesgo de cáncer de mama aumenta en las fumadoras activas y también en las pasivas. El tabaco es un agente carcinogénico de sobras conocido, que causa diferentes tipos de tumores, como el cáncer de pulmón, de cavidad oral, de tubo digestivo, de páncreas, etc.

→ **El ejercicio:** El ejercicio físico moderado realizado de manera habitual ha demostrado que mejora el pronóstico de las enfermas de cáncer de mama y hay indicios de que podría de una manera discreta reducir el riesgo de padecerlo en la población general.

5. Qué pasa tras el diagnóstico

¿Cómo abordar la enfermedad?

Asumir el diagnóstico de una enfermedad no resulta fácil. Cuando una mujer recibe un diagnóstico de cáncer de mama, lo normal es que se sienta invadida por un sinfín de emociones y sensaciones. El médico debe hacer siempre especial hincapié en comunicar a la paciente el grado de su enfermedad con el máximo tacto y humanidad y en explicarle todos los pasos del tratamiento, en especial si éste pasa por realizar una mastectomía. En ese momento se unen dos realidades negativas que, a buen seguro, pueden angustiar a la paciente: por un lado, la existencia de un tumor maligno de mama del que todavía se desconocen todas las consecuencias y, por otro, la pérdida de uno de los órganos que tradicionalmente se asocian a la feminidad. A esto se le suma el miedo a los tratamientos y sus posibles consecuencias. Sin embargo, el equipo médico debe intentar sumar otras dos realidades positivas: la esperanza de curación del cáncer diagnosticado, un hecho que cada vez sucede en porcentajes más elevados, y la posibilidad de llevar a cabo una reconstrucción de la mama afectada. Además, esos sentimientos sufrirán diversos cambios a lo largo de todo el proceso de la enfermedad. Las maneras de asimilar la noticia varían de una persona a otra, pero ese proceso resulta vital para superar la enfermedad y recuperarse de ella.

Las primeras personas en quienes se debe confiar son el médico y su equipo. Desde el principio este debe informar a la paciente, de una forma clara y precisa, del pronóstico y del tratamiento oncológico que precisa, así como de los procesos que seguirá su mama una vez intervenida, ya que en la mayoría de casos ésta va a sufrir alguna deformación significativa. Por tanto, las pacientes deben tener una preparación psicológica previa a la intervención, que les ayude a afrontar esos cambios en su cuerpo. Incluso en los numerosos casos en los que este proceso quirúrgico no resulte grave ni muy peligroso, resulta preciso informar con detalle de la intervención que va a llevar a cabo y de todas sus consecuencias. Quizá, en ese momento, el médico puede aconsejar la ayuda de un psicooncólogo y, de hecho, contar con la ayuda de un especialista en la materia puede ayudarnos a asumir la enfermedad y lo que ésta supone, ofrecernos una visión diferente, o colaborar para que no nos centremos sólo en los aspectos negativos.

Para la mayoría de nosotros, cualquier amenaza seria para la salud pasa a un primer plano de nuestras preocupaciones vitales y cotidianas. Y esto sucede casi sin que nos demos cuenta e independientemente de la enfermedad a la que nos refiramos. Por eso, en el proceso concreto del cáncer de mama, por paradójico que parezca, muchas mujeres se sienten tan aterrorizadas ante la posibilidad de padecerlo que niegan esa realidad durante un tiempo, incluso cuando el diagnóstico es firme. En algunos casos, ni siquiera comentan la noticia con las personas que tienen a su alrededor, como si el hecho de no hablar de la enfermedad ayudara a su desaparición.

Los especialistas sólo podemos aconsejar que la paciente intente evitar la negación de la enfermedad y que, por el contrario, empiece a asumirla desde el principio, sin demorar la aceptación del diagnóstico. Así puede predisponer el cuerpo y la mente –algo fundamental– para iniciar la aplicación de los tratamientos y, así, atajar de raíz el cáncer o evitar que avance. En este proceso de asumir la realidad del diagnóstico, cada persona puede responder de una

Pedir ayuda

Sin minimizar la importancia del cáncer de mama, resulta conveniente intentar alejar de la mente todas las imágenes y pensamientos que, quizás de forma inconsciente, se asocian a esta enfermedad. Consultar con especialistas –psicooncólogos– puede ser de gran ayuda para mejorar el estado de ánimo y la aceptación del tumor.

manera distinta, y muchas mujeres necesitan y agradecen todo el apoyo que su entorno y el equipo que las atiende puedan brindar para "quemar" las diversas etapas necesarias con el fin de poder digerir la nueva situación –descritas más adelante– y ponerse en situación de luchar contra el cáncer.

De ahí que la mejor respuesta a la pregunta "¿qué debo hacer?" sea, sin duda, tomar conciencia del problema, verlo con la máxima perspectiva posible y empezar a asumirlo. Luego, o mejor en paralelo, las pacientes necesitan buscar los apoyos necesarios y acudir a un médico que les explique con todo detalle no sólo la enfermedad, sino también la evolución y el pronóstico, así como el tratamiento que deben seguir para su curación. Más que nunca en la vida, la mujer con cáncer de mama tiene que compartir sus miedos y angustias con los suyos y ellos, sus familiares y amigos, deben intentar acoger esas confidencias y sostener a la paciente.

Aunque no todo el mundo comparte las mismas situaciones familiares o profesionales, ni por supuesto reacciona según los mismos esquemas, sí existen una serie de etapas que casi todas las pacientes atraviesan y experimentan de forma muy parecida. Al inicio, una primera etapa de ansiedad, en mayor o menor grado, afecta a todas las enfermas una vez conocen su diagnóstico y son operadas del tumor. Poco a poco, la paciente debería ir liberándose de esa inquietud gracias a las conversaciones con el médico y los terapeutas, que le facilitarán un

La información, ventana a la esperanza

Ante un diagnóstico de tumor maligno, siempre existen dos esperanzas positivas que todas las pacientes deben considerar: la curación y la restauración de la mama. Por este motivo puede resultar muy beneficioso para la paciente una visita al cirujano plástico, incluso al inicio del tratamiento oncológico. Tener información de cómo podemos paliar y reducir las secuelas que va a dejar el tratamiento del cáncer (mastectomía, tumorectomía, radioterapia...) reducirá la ansiedad y el miedo que provoca todo el proceso. Una visita al cirujano plástico puede ser una ventana a la esperanza y a la vuelta a la normalidad.

La sobreprotección del entorno

"El entorno de una paciente con cáncer de mama se ve sacudido con fuerza ante la noticia. En él se mezclan ánimos, miedos, consejos, desconocimientos, pero sobre todo, ganas de arropar a la afectada, que a veces puede conducir a una exagerada sobreprotección. 'Lo que tú creas, lo que tú quieras', me repetían continuamente mi familia y mis amigos. ¿Sobreprotección?", se pregunta la coreógrafa Cristina Hoyos en su libro *¡Ánimo p'alante!*

conocimiento completo de aquello que le sucede y de su tratamiento.

Pero conozcamos más a fondo las fases más habituales que atraviesa la paciente tras el diagnóstico del cáncer de mama.

→ **Negar la enfermedad y aislarse del entorno:** Tanto si se ha detectado el cáncer de mama en una autoexploración, como si se ha manifestado en una consulta con el médico, resulta bastante frecuente optar por negar la enfermedad tras el impacto inicial: "Esto no me puede pasar a mí". En muchos casos, negar esta evidencia se manifiesta incluso en la resistencia a visitar de nuevo al especialista por miedo a conocer la verdad. En el inconsciente puede aparecer la idea –errónea– de que los cánceres siempre se reproducen o surgir la angustia por la posible mutilación de la mama a la que están asociados. La negación suele ser un paso provisional que, posteriormente, da paso a una aceptación parcial del problema.

→ **Sentirse culpable:** A veces se desarrolla un sentimiento de culpabilidad por no haber acudido antes al médico e, incluso la paciente se autocensura por el pasado, ya que relaciona el tumor con situaciones anteriores que ha padecido. Sin embargo, tras el diagnóstico, lo que debe tenerse en cuenta es el futuro, no el pasado. Sólo de esta manera lograremos acercarnos a un estado anímico que nos ayude a superar el cáncer de mama.

> Aunque el equilibrio mental y anímico no basta ni mucho menos para curar el cáncer de mama, las enfermas que se sobreponen a la angustia impulsan los beneficios de los tratamientos médicos. Un estado de ánimo positivo facilita la recuperación.

→ **Enfadarse:** La siguiente fase sustituye la negación por el enfado. La enferma descarga su ira sobre los demás –médicos, familiares, amigos...– y busca ser el centro de atención. En ocasiones puede provocar una ruptura con el ambiente que la rodea pero que, habitualmente, será reconducida más adelante por ella misma.

En ese momento, la paciente también intenta establecer pactos con el médico que, no por irreales, dejan de parecerle los más aceptables en su situación. Así pasa a considerar al médico como su mejor y único aliado, puesto que él será quien la libere de la enfermedad. El médico se convierte en la persona en la que confiar y a la que pedir tiempo como contrapartida: "Si me das un año de vida, prometo no volver a fumar"; "si me aseguras que salgo de ésta, te prometo que...".

→ **Deprimirse:** Casi sin darse cuenta, la enferma empieza a realizar un proceso de duelo y de despedida de todos los que la rodean e incluso de aquellas personas que han desaparecido hace años de su vida, aunque desconozca cuál puede ser el final de la enfermedad. Este estado es muy negativo para la paciente, ya que es fundamental un estado de ánimo positivo para luchar contra la enfermedad.

→ **Aceptar la enfermedad:** La paciente asume la situación en que se encuentra y elimina todos los rencores y enfados que había mantenido hasta ahora. Se puede decir que la mujer ha puesto en marcha sus propios recursos emocionales que le ayudarán, junto con todo el apoyo familiar y afectivo de que disponga, a superar este bache. Aunque por supuesto es la fase más aconsejable, no todas las enfermas llegan a ella.

En este sentido, no sólo es importante que la paciente asuma que entra en una nueva fase de su vida, con complicaciones pero de la que puede salir, sino también que intente hablar acerca de cómo se siente, qué necesidades tiene, cuáles son sus angustias y dudas...

Por un lado, una buena comunicación influye positivamente en la evolución de la enfermedad y ayuda a mejorar el estado de ánimo de la paciente y de los familiares. Por otro, tener un ánimo positivo y desear

Diversas reacciones

Tras conocer el diagnóstico de la enfermedad, las reacciones pueden ser diversas: aislamiento, negociación, depresión, ira o expresión incontrolada de las emociones... Todas son reacciones normales ante una situación inesperada, que amenaza nuestra salud y nuestro estilo de vida. Lo importante es saber evolucionar hacia la aceptación de la realidad.

curarse contribuyen sobremanera al éxito del tratamiento. En cambio, las reacciones negativas, como por ejemplo la ansiedad, provocan una cierta paralización de los mecanismos de autodefensa, o sea, de inmunidad, en el plano del hipotálamo.

Sí es cierto que, a veces, los pacientes quieren hablar pero no saben cómo afrontar el tema con su familia, los amigos o los colegas de profesión. En este punto, el médico y su equipo deben crear un buen clima de comunicación, así como propiciar las conversaciones sinceras. Eso sí, los médicos debemos huir del paternalismo y la condescendencia que pueden hacer que la paciente se sienta como un menor de edad y aumente su sensación de desamparo. Los enfermos de cáncer saben que se encuentran en una situación delicada y, por tanto, en la mayoría de los casos son capaces de superar el miedo y afrontar las informaciones derivadas de la misma.

Grupos de apoyo

A veces, la mujer con cáncer de mama no sabe a quién recurrir, se siente sola y aislada. En nuestro país, existen numerosos grupos de apoyo que ofrecen el respaldo emocional y la información que estas pacientes necesitan. Las asociaciones de ayuda contra el cáncer de mama desarrollan un trabajo magnífico y esencial para el tratamiento integral de las pacientes.

Elimina la angustia: ¡habla!

Todos nosotros esperamos, a veces de forma infantil e inconsciente, mantenernos lejos de las enfermedades y, en especial, muy lejos del cáncer. Los tumores malignos nos parecen especialmente aterradores, no sólo por su relación potencial con la muerte, sino también por el imaginario que el cáncer lleva asociado cuando se acerca al centro del individuo. Y, para la mayoría de las mujeres, el cáncer de mama afecta justamente al corazón de la vida íntima, a las relaciones con ellas mismas y con sus personas queridas.

En el punto anterior ya hemos comentado cómo una actitud positiva ante la enfermedad influye en la evolución de la misma. Para llegar a ese estado de ánimo podemos contar con los grandes avances médicos que, sobre todo en el cáncer de mama, aportan optimismo y esperanzas de curación para buena parte de los casos. Y, además, podemos contar también con el apoyo y la orientación del oncólogo o, mejor aún, del psicooncólogo. Las mujeres con cáncer de mama se enfrentan a un adversario nuevo y desconocido e, incluso las más equilibradas, pueden verse desbordadas y reaccionar de forma incontrolada o demasiado controlada. Es preciso que sepan que a este profesional, al psicooncólogo, y al resto de especialistas (senólogos, ginecólogos, oncólogos, cirujanos plásticos...) pueden trasladarles las dudas y las preguntas que les asaltan y que les dificultan sobrellevar la enfermedad:

¿Por qué a mí? ¿Saldré de ésta?
¿Qué posibilidad tengo de curación?
¿Mi cuerpo estará mutilado?
¿De qué tamaño es el cáncer?
¿Tengo más de un tumor en el seno?
¿En qué estadio se encuentra mi cáncer?
¿Tengo los ganglios afectados? Y si es así, ¿cuántos?
¿Cuáles son los efectos secundarios?
¿Existe algún libro que pueda leer para informarme?

Entre las cuestiones que más íntimamente afectan a la paciente con cáncer de mama surge la de la sexualidad. Diferentes estudios señalan que tras el diagnóstico y el tratamiento de un cáncer de mama, o de cualquier otro cáncer ginecológico, pueden aparecer disfunciones sexuales. Las personas afectadas –no todas– pueden mostrar respuestas sexuales diferentes, con reacciones que van desde la fatiga hasta el dolor, pasando por la desgana. ¿Las causas? Por un lado, la cirugía y las otras terapéuticas pueden dejar su huella directa sobre la función sexual. Así, tras la quimioterapia, resulta frecuente la pérdida temporal del apetito sexual, así como la sequedad vaginal, el dolor durante el coito y la dificultad para alcanzar orgasmos.

Sin embargo, por otro lado, muchos de estos problemas están asociados en realidad con las secuelas psicológicas derivadas de la enfermedad. Por ejemplo, las creencias erróneas sobre el origen del cáncer, el miedo a perder parte de su feminidad como consecuencia de la enfermedad, así como los cambios físicos que se observan después del tratamiento, contribuyen a aumentar la inseguridad sexual y afectiva

La ayuda de tu entorno

La mujer con cáncer de mama se halla sometida a una situación psicológica de incertidumbre donde aparecen el miedo, la tristeza, el desencanto, la flaqueza... Son emociones y sentimientos naturales pero que, con trabajo personal, ayuda de su entorno próximo (la familia y los amigos) y la de los profesionales, pueden canalizarse y transformarse en experiencias positivas para el presente y el futuro.

Ninguna paciente debería sentirse sola

- Cada día varias mujeres se deben enfrentar al diagnóstico de un cáncer de mama. No estás sola.
- Existen muchos especialistas que te ayudarán a superar tus angustias y la enfermedad.
- Casi todas las localidades cuentan con una asociación donde las mujeres con cáncer de mama pueden recibir ayuda y compartir su problema para que deje de serlo.
- La mayoría de las enfermas de cáncer de mama superan la enfermedad. Hay mucha vida después de este tipo de tumor.

en las enfermas. Como especialista médico, el primer consejo es que la paciente intente superar esos primeros miedos y que se dirija, sin dudarlo, a los profesionales que conozcan el problema. En algunos casos, la falta de deseo sexual puede ser una de las consecuencias de la depresión, de modo que lo más adecuado sería recurrir a un especialista en la materia –el psicooncólogo– para que colabore en la superación de ese bache. Además, practicar el sexo con normalidad y tranquilidad puede convertirse en un factor importante para dejar atrás las connotaciones más negativas del cáncer de mama.

De todos modos, el especialista no debería ser el único reducto donde verter los miedos y los desasosiegos. A todas las pacientes les aconsejaría que no se callen, que no se guarden las inquietudes ni las incertidumbres para sí mismas. Les diría que resulta fundamental que las compartan con su pareja, su familia y sus amigos y con todos aquellos que puedan aportar ideas o dar buenos consejos. Estas personas no deben remplazar al médico, pero sí pueden acompañar a la paciente en este viaje y apoyarla en momentos importantes, como a la hora de recibir noticias trascendentes acerca del diagnóstico y del tratamiento.

La elección del médico

Si tras el diagnóstico del cáncer de mama, las mujeres necesitan abordar su situación con madurez y obtener todo el apoyo psicológico necesario a través de una buena comunicación, el tercer pilar de su recuperación radica en la elección del médico más adecuado para su caso. O, mejor dicho, del equipo profesional más adecuado, ya que el cáncer de mama se trata de forma cada vez más multidisciplinar. Los especialistas en cáncer de mama forman unidades o grupos de trabajo donde se reúnen diferentes disciplinas, bien relacionadas entre sí.

Esas unidades multidisciplinares están constituidas por el oncólogo, el oncólogo radioterapeuta, el radiólogo, el patólogo, el especialista en medicina nuclear, el cirujano plástico, el ginecólogo-senólogo, el cirujano general-senólogo, el médico rehabilitador, el psicólogo y el personal de enfermería especializado. En este sentido, me gustaría realizar dos apreciaciones relevantes para las pacientes y sus familiares. Primero, les diría que, sea quien sea el profesional concreto que lleve su enfermedad o coordine su seguimiento, es aconsejable que esté siempre integrado en uno de estos comités o unidades de mama multidisciplinares. Todos los conocimientos son necesarios para el tratamiento integral del cáncer de mama que la medicina actual puede ofrecer. Y, en segundo lugar, añadiría que este especialista y su equipo deben merecer toda la confianza de la paciente, deben proporcionarle seguridad, hacerle sentir cómoda y mostrarse en todo momento a su lado para tratar el cáncer y ayudar a superar todas las posibles secuelas presentes y futuras.

> Es importante elegir el equipo médico más adecuado para cada caso, y confiar plenamente en él. Los especialistas en cáncer de mama forman unidades o grupos de trabajo donde se reúnen diferentes disciplinas, todas relacionadas con la enfermedad.

Afortunadamente, las pacientes cuentan hoy con diferentes recursos en los que apoyarse para elegir su médico y la unidad de mama idónea. Tanto los colegios profesionales de médicos como las sociedades científicas (por ejemplo, la Sociedad Española de Senología y Patología Mamaria o la Sociedad Española de Cirugía Plástica, Reparadora y Estética) están dispuestos a facilitar datos a los ciudadanos sobre la experiencia y la formación de los diferentes profesionales en este campo. Existen además titulaciones específicas de posgrado impartidas por varias Universidades de gran prestigio en nuestro país –y fuera de él– que acreditan una formación específica del especialista en los problemas de la mama, o acreditaciones de capacitación en Senología, como la pionera del Colegio de Médicos de Barcelona o el Máster de Patología Mamaria de la Universidad de Barcelona que dirije el profesor Miguel Prats Esteve. Nadie tiene por qué decidir sobre su médico a ciegas o sentir que lo hace sin toda la información pertinente.

Preparando la cirugía oncológica

Ya estamos a las puertas de la cirugía, el primer gran paso para tratar el cáncer de mama, un punto que abordaremos en las páginas siguientes. ¿Pero qué podemos hacer para preparar ese momento? Por supuesto, ya hemos visto qué sucede al abordar por primera vez el diagnóstico, cómo liberar tensiones mediante la comunicación con las personas próximas y los especialistas y, también, qué factores hay que tener en cuenta para acertar con la elección del equipo médico. Sin embargo, aún podemos concretar un poco más qué etapas y qué preparación necesita cubrir y exigir la paciente de cáncer de mama. Desde mi punto de vista, hay tres puntos esenciales.

El primero se refiere a que la paciente debe pedir que su médico le facilite toda la información sobre su enfermedad y que lo haga de la forma más precisa y completa. De hecho, esa información debe ir incluso más allá de la propia enfermedad y abarcar los diferentes pasos y fases que cada mujer –cada una en particular– va a tener que dar y atravesar. Nada angustia más que la incertidumbre, es decir, no saber qué va a suceder a continuación. Y aquí hay que entrar en detalles, en muchos detalles, y concertar todas las visitas y reuniones necesarias. La enferma debe tener tiempo para entender y asimilar los procesos a los que va a someterse. Por ejemplo, es altamente recomendable que, si una paciente va a enfrentarse a una amputación mamaria, ya sea parcial o total, mantenga un encuentro con el cirujano plástico –o que el cirujano encargado del caso (en íntima comunicación con el cirujano plástico de la Unidad de Mama) le transmita esta información– para saber si puede ser candidata a una reconstrucción mamaria inmediata o para que, si no resulta una candidata idónea para esa cirugía reconstructiva, el mismo cirujano pueda informarle de qué posibilidades de reconstrucción tiene a su alcance en un segundo momento. Obtener esta información ayudará a que la paciente se libere de ansiedades y miedos futuros y a que centre sus energías en la operación inmediata, la cirugía mamaria, con más seguridad y tranquilidad.

Los puntos siguientes van, como no podría ser de otro modo, íntimamente ligados al primero. En cierto modo, son consecuencias de este esfuerzo para que la paciente conozca a fondo el camino hacia la deseada curación del cáncer de mama, con todos sus posibles

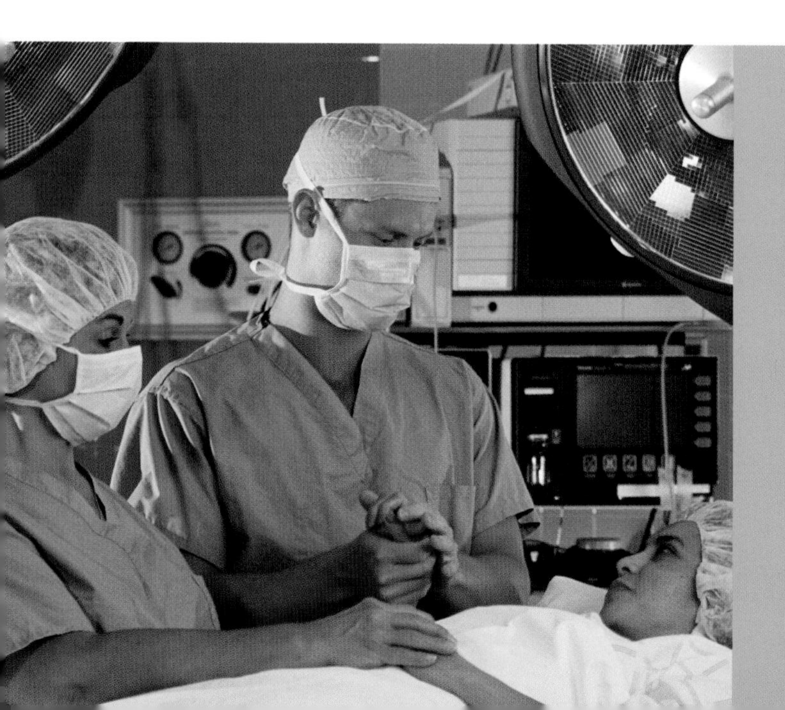

Derecho a estar informadas

En una resolución del año 2002, el Parlamento Europeo reconocía el derecho de las pacientes de cáncer de mama a estar adecuadamente informadas por el equipo médico sobre su diagnóstico y tratamiento. Dicha resolución establecía también que la detección precoz, el diagnóstico y el tratamiento deben ser abordados por un equipo multidisciplinar con la presencia de psicólogos expertos en el tema. Asimismo, el Parlamento declaraba que las pacientes deben poder participar en las decisiones sobre las opciones terapéuticas.

rincones, recovecos y paradas. ¿Por qué? Porque el segundo factor fundamental para preparar la cirugía mamaria consiste en que la paciente llegue a esa intervención de forma óptima tanto psíquica como físicamente. Por supuesto, la buena forma psíquica resulta más fácil de aconsejar que de conseguir, pero ya hemos hablado de ella en los apartados anteriores. En cuanto a la forma física óptima, se puede lograr a través de una nutrición y alimentación sana, de una buena higiene corporal, del abandono del tabaco semanas antes de la cirugía (y mantener esta abstinencia tabáquica durante al menos tres meses tras la misma) para que no perjudique la cicatrización... El médico es quien puede indicar a cada paciente cómo llegar a la intervención con la mejor forma física posible según sus circunstancias, su historial y el alcance del tumor.

Y, por último, pero no menos importante, algo que no aparece en los manuales, pero que ya hemos ido comentando con anterioridad. A la cirugía hay que intentar llegar con un estado de ánimo positivo. Éste no es lugar de extenderme en cómo la depresión convierte en mucho más débil al sistema inmunitario, pero así lo demuestran diferentes estudios científicos, además de la experiencia profesional. Aquí los médicos no podemos eludir la responsabilidad que tenemos para transmitir al paciente las ganas de luchar y de superar la enfermedad. Por eso, las enfermas de cáncer de mama precisan de médicos que tengan la formación técnica adecuada pero, sobre todo, la calidad humana imprescindible para inspirar confianza a las personas cuando atraviesan un momento difícil y ofrecerles el refuerzo suficiente para afrontar la enfermedad.

El tratamiento quirúrgico y otras terapéuticas

Una vez confirmado el diagnóstico de cáncer de mama, aún queda pendiente estudiar hasta qué punto se ha extendido el tumor y en qué estadio de desarrollo se encuentra. Como ya hemos avanzado en el punto anterior, los equipos médicos deberían abordar de forma multidisciplinar cómo afecta esta enfermedad a cada una de las pacientes ya que sólo así pueden ofrecerles el tratamiento óptimo para su tumor. Ésta es la única actitud terapéutica adecuada.

¿Pero de qué forma o formas se puede concretar el tratamiento del cáncer de mama? A pesar de los enormes avances de la quimioterapia y la radioterapia, muchas de las afectadas van a precisar de tratamiento quirúrgico, ya sea una resección o extirpación local del tumor (conocida como tumorectomía), una resección parcial de la mama (cuadrantectomía) o, en otros casos en que es imprescindible para controlar localmente la enfermedad, una cirugía radical de la mama (mastectomía). El tratamiento del cáncer de mama exige en la actualidad conocer como se encuentran los ganglios axilares. Dependiendo de las circunstancias del tumor esta información la podemos obtener o bien mediante un vaciamiento axilar –completo de los 3 niveles axilares o de los 2 más bajos– o bien mediante la técnica de biopsia selectiva del ganglio centinela (extirpar un único ganglio seleccionado). Además de la cirugía sobre mama y axila hoy en día la mayoría de pacientes recibirán tratamientos complementarios, como la hormonoterapia, la quimioterapia o los tratamientos "anti-diana" –anticuerpos monoclonales–, o radioterapia para alcanzar mayores expectativas de curación. De todas estas cirugías, tratamientos y técnicas exploratorias hablaremos justamente en este apartado.

En cualquier caso, sean cuales sean las opciones, resulta esencial que los especialistas expliquen con detalle las diferentes posibilidades de intervención y el resto de las terapias aplicables en cada caso, para que las mujeres afectadas puedan decidir, junto con el médico, a cuál someterse. La enfermedad no puede escogerse, pero sí se puede elegir el mejor tratamiento posible y la manera de enfrentarse al cáncer con un actitud positiva. Una vez más hay que insistir en que el cáncer de mama implica un riesgo para la paciente pero, en general, más controlable que otros. Con otras palabras, aunque el cáncer de mama necesita ser tratado sin demoras innecesarias, hay tiempo suficiente como para explicar a las pacientes qué pruebas y tratamientos se les van a practicar paso a paso y también hay tiempo suficiente para que ellas puedan pedir, si la desean, una segunda opinión profesional.

Cirugía conservadora de mama y mastectomía

La cirugía suele ser la primera opción de tratamiento en los cánceres de mama en estadios localizados. En este punto explicaremos sintéticamente cuáles son las dos grandes opciones quirúrgicas actuales (la cirugía conservadora de mama y la mastectomía), qué rol desempeña el ganglio centinela en este tipo de tratamiento y qué pasos previos recorre la paciente antes de someterse a una intervención.

Para entender el tratamiento del cáncer de mama conviene tener en cuenta que vamos a atacar la enfermedad en dos frentes distintos: el local (la mama) y el general (el resto del organismo). En el frente local nuestro interés es eliminar la enfermedad que sabemos que existe, con el mínimo sacrificio anatómico-cosmético y la máxima seguridad posible de que la enfermedad no reaparezca a ese nivel. En el frente general intentamos evitar que aparezcan metástasis o tratarlas si existen, y actuamos con tratamientos como la quimioterapia, la hormonoterapia y los nuevos tratamientos selectivos "anti-diana". En el frente local usamos la cirugía y la radioterapia y lo subdividimos en dos partes diferenciadas: la mama y la axila. Dependiendo de las circunstancias de la enfermedad y la elección de la paciente podemos optar por tratamientos con mínima agresión ("conservadores", como la biopsia selectiva del ganglio centinela y la cirugía conservadora de mama), o los tratamientos más agresivos ("radicales", como la mastectomía y vaciamiento axilar).

En la actualidad, gracias a los avances en este campo, la cirugía conservadora de mama se erige como el tratamiento elegido en el 80 por ciento de las mujeres afectadas. Con esta técnica se extirpa únicamente el tumor y la zona circundante de tejido sano y, siempre, esta cirugía conservadora de mama se combina con el tratamiento de radioterapia, que se aplica durante varias semanas para disminuir el riesgo de que la enfermedad reaparezca en la mama destruyendo las posibles células tumorales que pudiesen haber quedado en la mama. Dentro de esta cirugía conservadora existen dos tipos de operaciones: por un lado, la tumorectomía, que se practica para extirpar el tumor localizado y conservando casi la integridad del seno y, por otro, la cuadrantectomía, que supone extirpar un cuadrante de la mama en el que se incluye el tumor y que puede ser bastante más mutilante dependiendo del tamaño del pecho.

La elección del tipo de intervención

Elegir una u otra intervención, la cirugía conservadora de mama o los diferentes tipos de mastectomía, dependerá no sólo del tipo de tumor, de su estadio y del tamaño que tenga, sino también de la decisión que tome la paciente al respecto, apoyada y asesorada por su médico.

Sin embargo, también hay un buen número de pacientes que todavía necesitan de una mastectomía –por la cual se extirpa toda la mama– para poder controlar por completo la enfermedad, a pesar de las secuelas físicas y psicológicas que conlleva este tipo de intervención. Esta opción no implica que la enfermedad sea más grave que cuando se puede conservar la mama, simplemente se aplica cuando conservando el seno no podemos mantener una estética aceptable (cada vez más infrecuente con las técnicas oncoplásticas) o cuando el riesgo de que reaparezca localmente la enfermedad no se puede controlar adecuadamente con cirugía conservadora y radioterapia. En algunos casos se realiza una mastectomía simple, por la que el cirujano extirpa la mama pero sin hacer vaciamiento axilar, aunque se puede asociar a biopsia selectiva del ganglio centinela. En otros, se practica una mastectomía radical modificada, la más frecuente de las mastectomías por su indicación en esta enfermedad y que supone una mastectomía realizando vaciamiento axilar de dos o tres niveles ganglionares –dependiendo de la escuela quirúrgica– pero sin extirpar los músculos pectorales. Y, finalmente, existe la mastectomía radical, que hoy apenas se practica y que supone extirpar la mama, todos los ganglios linfáticos bajo el brazo y los músculos pectorales de debajo de la mama.

En la actualidad, no podemos considerar que se está ofreciendo a la paciente un tratamiento integral del cáncer de mama sin disponer de las técnicas necesarias para realizar la reconstrucción del seno después de la mastectomía o, incluso, después de la cirugía conservadora de mama. Estas posibilidades de reconstrucción deben forman parte del tratamiento estándar para toda mujer que sufre un cáncer de mama en un entorno sanitario de calidad. Así lo manifiesta el Parlamento Europeo en una resolución aprobada en el año 2002 –*European Parliament resolution on breast cancer in the European Union* (2002/2279(INI))–, donde destaca que para proteger la calidad de vida de las mujeres que sufren cáncer de mama hay que intentar reducir el número de mastectomías y que las secuelas de la cirugía oncológica deben ser reconstruidas lo antes posible, y a poder ser, con tejido propio de la pacientes. De este punto hablaremos en profundidad en la segunda parte del libro.

Radioterapia

Si se ha realizado una cirugía de mama conservadora, resulta imprescindible aplicar radioterapia tras la intervención. Este tratamiento consiste en usar partículas similares a las de los rayos X, pero de mayor energía, capaces de penetrar en el cuerpo. En contadas ocasiones se puede utilizar para disminuir el tamaño de un tumor antes de la cirugía o para destruir células cancerosas del área en que se administra. Su objetivo es destruir esas células tumorales sin causar demasiado daño en los tejidos sanos. Como hemos comentado, se emplea generalmente tras la intervención quirúrgica para "limpiar" por completo la zona donde se ha realizado la cirugía y disminuir el riesgo de recaída local de la enfermedad a unas cifras aceptables.

Por supuesto, el oncólogo radioterapeuta es siempre quien prescribe y planifica el tratamiento individualizado para cada paciente, de manera que también orienta sobre qué tipo de radioterapia conviene emplear, aunque la más común es la radioterapia externa. Eso significa que la radiación procede de una fuente que se encuentra fuera del organismo y, en los casos de cáncer de mama, se suele irradiar la mama donde se asienta el tumor, la pared torácica o incluso la axila.

Para aplicar esta terapia mamaria, primero se requiere simular la postura del paciente y el volumen de la zona que hay que tratar y, luego, ese planteamiento o simulación se reproduce todos los días gracias a unos tatuajes o marcas de tinta en el tórax, que ayudan al personal de radioterapia a administrar el tratamiento con precisión. Para minimizar los efectos secundarios, las radiaciones se fraccionan en varias sesiones y se reparten en períodos de 2 a 7 semanas, siempre en centros hospitalarios preparados para ello.

Como contrapartida a sus efectos beneficiosos al eliminar las células enfermas, la radioterapia puede afectar –como ya hemos señalado– a los tejidos sanos cercanos al área de tratamiento y, a la vez, generar algunos efectos secundarios difíciles de prever, como cansancio temporal, reacciones y alteraciones en la piel, caída de pelo, linfedema (cuando se hace sobre la axila) y otros efectos a largo plazo sobre la mama radiada (como que disminuya de tamaño y se haga más fibrosa tras el tratamiento). Las pacientes no deben dudar en consultar con los especialistas de la unidad de mama cómo pueden sobrellevar o paliar estas reacciones.

Por último, a pesar de que las técnicas de radioterapia se han optimizado en los últimos años y que son mínimas las secuelas visibles que puede dejar en la piel del tórax, hay que tener en cuenta que sus efectos permanecen durante años y que, en cierta manera, condicionan los diferentes tipos de reconstrucción mamaria. Por tanto, debe ser un cirujano plástico con experiencia en este campo quien valore el efecto que la radioterapia tiene o ha tenido sobre los tejidos de la paciente. De hecho, como criterio general, hay que esperar como mínimo unos doce meses antes de considerar cualquier tipo de intervención sobre el área irradiada y utilizar esos tejidos con el menor riesgo posible para la paciente.

Quimioterapia, tratamientos "anti-diana" y hormonoterapia

Además de la cirugía mamaria y de la radioterapia para el tratamiento local, las pacientes de cáncer de mama cuentan también con los llamados "tratamientos sistémicos" (esto quiere decir que actúan a nivel de todo el cuerpo), que se administran por vía

Los efectos secundarios

La caída del cabello es uno de los posibles efectos secundarios (y el más visible) de la quimioterapia. También es uno de los que más afecta a las pacientes dado el cambio de imagen que comporta. Sin embargo, la caída no se produce en todos los casos, ya que depende de la cantidad e intensidad de la dosis administrada. Por otra parte, si se cae, el pelo vuelve a nacer al cabo de unas 5 semanas. Otros posibles efectos secundarios son las náuseas y vómitos, la diarrea y el estreñimiento, la anemia... Por todo ello conviene que la paciente llegue en buenas condiciones físicas a las sesiones de quimioterapia.

Vencer el cáncer

El 90 por ciento de las mujeres afectadas por el cáncer de mama pueden curarse con el tratamiento si la enfermedad se diagnostica y se trata en su etapa inicial.

Imagen cedida por GAMIS. Fotógrafa: Ariadna Salvador

oral o mediante inyección y que intentan alcanzar las células cancerosas que puedan haberse diseminado más allá de la mama y los tejidos próximos. La quimioterapia es la modalidad más conocida, pero también existen otras, como la hormonoterapia o tratamiento anti-hormonal y los novedosos tratamientos "anti-diana".

En cuanto a la quimioterapia, se trata de una de las modalidades terapéuticas más utilizadas en el cáncer de mama. Emplea una combinación de fármacos diferentes –antineoplásicos o quimioterápicos– para destruir las células tumorales que puedan estar en cualquier parte del cuerpo y, así, reducir el tumor, lograr que desaparezca por completo o prevenir la aparición de metástasis tras la cirugía. Es quizás el tratamiento más temido por sus efectos secundarios. Aunque clásicamente se administraba después de la cirugía, cada vez más se tiende a darlo previo a ésta: la idea es reducir el tamaño del tumor y poder realizar más tratamientos conservadores –o más estéticos– y conocer la sensibilidad de las células tumorales a la quimioterapia que se ha administrado.

Un aspecto importante, que por desgracia cada vez cobra más actualidad ya que con cierta frecuencia se diagnostica cáncer de mama en mujeres que no han realizado aún sus deseos de ser madres, es el hecho de que la quimioterapia puede dejar estéril a la enferma. Por tanto, la mujer que estando en edad fértil debe ser sometida a quimioterapia y tiene intención en un futuro de intentar ser madre debe ser informada de estos riesgos y se le deben ofrecer las alternativas que en estos momentos existen –no totalmente perfectas, pero al menos se deben intentar– para poder preservar sus posibilidades de cumplir con su deseo una vez curado el cáncer.

Aunque esos fármacos se suelen administrar por vía intravenosa y de forma ambulatoria, en algunas pacientes se puede necesitar el ingreso hospitalario. Además, lo habitual es que el tratamiento se divida en ciclos con períodos de quimioterapia y períodos de descanso. Un elemento importante de confort para la paciente y que preserva las importantes venas superficiales del brazo de los efectos de la quimioterapia (inyectada en venas no muy grandes las puede "quemar" por dentro, inutilizándolas) es el reservorio tipo "Port-A-Cath". Se trata de un pequeño depósito que se implanta bajo la piel y va conectado por un tubito a la vena cava. La enfermera de oncología lo pincha a través de la piel para administrar la quimioterapia a través de él, evitando daños en las venas del brazo. Cuando el tratamiento ha finalizado se extrae sin mayor problema.

> La quimioterapia es una de las modalidades terapéuticas más empleadas en el tratamiento del cáncer de mama y se basa en la administración de fármacos.
> Su objetivo es impedir o reducir la reproducción de las células cancerosas.

Posteriormente, el oncólogo solicitará una serie de pruebas para ver cómo ha respondido el tumor a la quimioterapia. Además, hay que tener en cuenta que, como estos fármacos llegan a casi todos los tejidos del organismo, también pueden generar algunos posibles efectos secundarios como náuseas y vómitos, diarrea y estreñimiento, alteraciones en la percepción del sabor de los alimentos, cambios en la mucosa de la boca, alopecia, descenso de los glóbulos rojos, disminución de los leucocitos, descenso de las plaquetas, alteraciones hepáticas y alteraciones neurológicas. Por supuesto, que resulte posible la aparición de efectos secundarios no significa que efectivamente aparezcan ni que la mayoría de ellos no resulten tolerables de sobrellevar.

> Tras el tratamiento de quimioterapia, no siempre aparecen efectos secundarios, y cuando surgen, en la mayoría de las ocasiones son tolerables. Además, actualmente existen medicamentos que permiten controlar estas molestias.

No podemos olvidar tampoco que, tras un tratamiento de quimioterapia, hay que esperar al menos 6 meses para que el organismo de la paciente se encuentre en las condiciones óptimas para poder someterse a cualquier cirugía que no se considere totalmente imprescindible, aunque cuando damos quimioterapia antes de operar, se realiza la cirugía entre la tercera y la sexta semanas posteriores al tratamiento, sin que existan más problemas en estas pacientes que en las demás.

Finalmente, para concluir toda esta primera parte sobre el cáncer de mama, me gustaría referirme brevemente a la hormonoterapia, un tratamiento sistémico que usa fármacos para cambiar el comportamiento de las hormonas que aceleran el cáncer y no para eliminar células malignas (como hace la quimioterapia). Entre las hormonas o derivados hormonales que frenan el crecimiento de las células cancerosas, destaca el tamoxifeno, a pesar de que el continuo avance de la industria farmacéutica ofrece hoy otros fármacos de eficacia similar o incluso superior. El tamoxifeno presenta pocos efectos indeseables, pero puede aumentar ligeramente la incidencia del cáncer de endometrio o de las trombosis. En estos momentos en mujeres postmenopáusicas se tiende a dar otros fármacos más nuevos que han demostrado mayor efectividad, como los inhibidores de la aromatasa (Letrozol, Anastrozol...). Los tratamientos antihormonales, aunque no están libres de efectos secundarios, habitualmente no dan grandes problemas y son bien tolerados. Se suelen administrar durante al menos 5 años.

No podemos acabar sin hacer una breve mención a los nuevos tratamientos "anti-diana". Son fármacos que sólo se pueden usar en grupos concretos de pacientes, con tumores que tienen unas características especiales, que los diferencian de los demás tumores y de las células normales. Aprovechando esta particularidad se diseñan unos tratamientos que sólo dañan a las células que poseen dichas características: esto los convierte en tratamientos muy eficaces y con pocos efectos colaterales ya que únicamente atacan a las células malignas. En estos momentos disponemos de los anticuerpos anti Her-2 (Trastuzumab) y de tratamientos que impiden la formación de nuevos vasos sanguíneos (Bevacizumab), otros están en diversas fases de desarrollo. Aún faltan años para ver su eficacia real, pero son caminos muy prometedores para mejorar nuestros resultados intentando disminuir los efectos secundarios.

Una vez hemos llegado a este punto del libro deberíamos tener una idea clara de los interrogantes básicos sobre el cáncer de mama, de las claves del diagnóstico hasta qué hacer para afrontar la enfermedad, y cómo se aplican los diferentes tratamientos quirúrgicos y las otras terapias que intentan erradicar el cáncer del cuerpo femenino. Ahora iniciamos una nueva etapa, esencial en la vida para poder superar el trauma del cáncer de mama. Analizaremos paso a paso las diferentes opciones para superar las secuelas del tratamiento del cáncer, desde las expectativas reales de las diferentes técnicas, hasta cómo elegir el cirujano plástico, barajando todas las posibilidades reconstructivas para la mastectomía y para la cirugía conservadora de mama. Las mujeres tienen opciones a su alcance para mejorar la calidad de vida y deben contar con la información necesaria para poder decidir libremente si quieren acceder o no a esta cirugía.

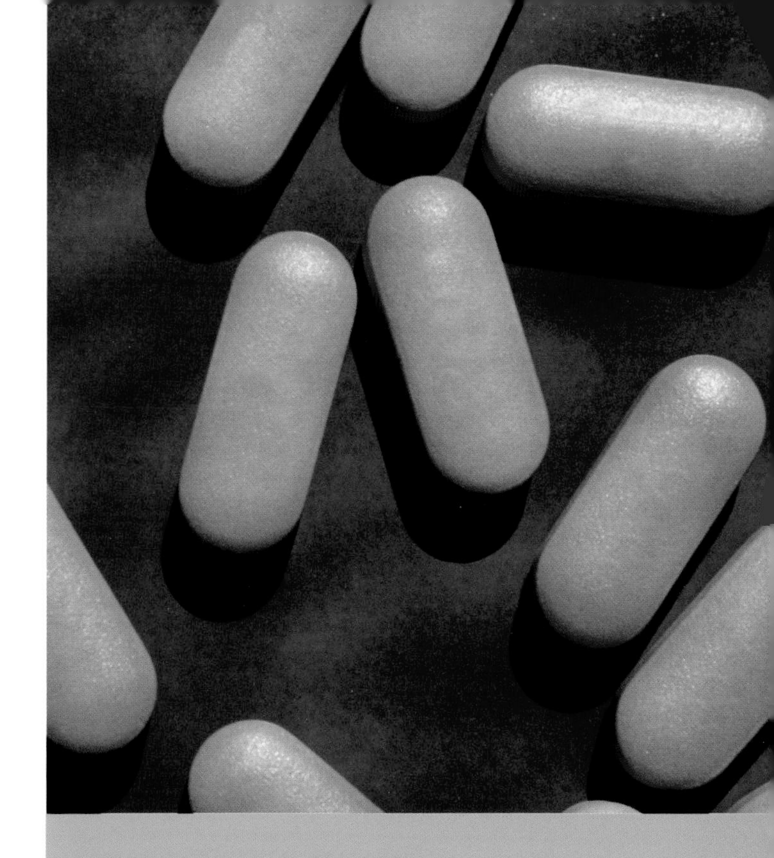

El efecto de los fármacos

La mayoría de los fármacos de quimioterapia están diseñados para destruir las células mientras se dividen. Generalmente, las células tumorales proliferan muy rápidamente, por lo que son un blanco fácil para los fármacos, que las dañan y destruyen. Es así como se logra el objetivo de que el tumor desaparezca o disminuya de tamaño. Pero en el organismo existen células sanas que también se multiplican a gran velocidad, y la agresión a estas células desencadena los efectos secundarios más frecuentes. Dichos efectos pueden aparecer desde unas horas hasta varias semanas tras la administración del ciclo. Eso sí, la mayoría de los síntomas desaparecen tras finalizar la quimioterapia y casi siempre sin dejar secuelas.

_ El tratamiento integral del cáncer de mama

"La vitalidad se revela no solamente
en la capacidad de persistir sino en la de volver a empezar."

Francis Scott Fitzgerald (1896-1940)

Fotógrafa: Judith Vizcarra

Las distintas opciones tras la cirugía

Opciones, alternativas, posibilidades... Las hay, existen, son una realidad para las mujeres que se han sometido a alguna de las cirugías –cirugía conservadora de mama o mastectomía– que buscan paliar las secuelas del cáncer de mama. Una vez más insisto en que resulta fundamental que las pacientes conozcan esas opciones, sus opciones, antes de que se les practique la mastectomía para, entre otros beneficios, ayudarles a reducir la ansiedad que suele conllevar perder el pecho.

Cada una de las pacientes debe tener suficiente información como para escoger libremente, con la ayuda y orientación de su cirujano plástico, la opción -ya sea provisional, ya sea más definitiva– con la que se sienta más cómoda en su caso. En este sentido, tras el tratamiento contra el cáncer de mama, la mujer se suele situar ante tres grandes realidades: dejar el pecho tal cual aparece después de haber extirpado una parte o la totalidad de la mama, utilizar prótesis externas que simulen y reproduzcan el aspecto del pecho natural, y reconstruir y reparar quirúrgicamente las secuelas físicas marcadas por el cáncer de mama y sus tratamientos.

La primera de estas opciones reúne a las mujeres que deciden dejar el pecho, o los pechos, tal como han quedado tras la mastectomía. Suelen ser mujeres que no sienten la necesidad de reemplazar sus senos, ni de reproducir su apariencia externa, ya que, en la mayoría de los casos, pueden considerar el cáncer de mama como una experiencia que ha transformado profunda y radicalmente sus vidas. Otras mujeres la eligen como una opción transitoria y dejan para más adelante replantearse su situación. En realidad, hace años ésta era la única opción para las mujeres mastectomizadas. Hoy, por fortuna, sólo lo es para aquellas que están completamente seguras de ella, tanto desde el punto de vista psicológico como físico, porque además han recibido toda la información adecuada sobre las posibilidades de reconstrucción mamaria existentes. De hecho, ése es el objetivo de este libro: dar toda la información con claridad y precisión para que las mujeres sean y se sientan realmente libres al tomar la decisión que deseen respecto a su cuerpo.

Una segunda alternativa, más frecuente, nos habla de las prótesis externas que ayudan a que el tórax recupere el volumen externo para que, vestida con el sujetador, no se perciba la asimetría corporal que ha causado la mastectomía. Cuando son de calidad, estas prótesis reequilibran la simetría corporal de la

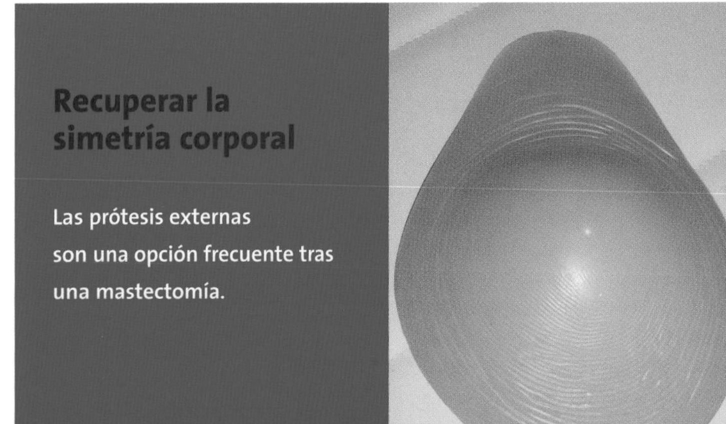

Recuperar la simetría corporal

Las prótesis externas son una opción frecuente tras una mastectomía.

mujer y suavizan la descompensación de peso que se ha producido al extirpar la mama. Muchas mujeres optan por estas prótesis externas cuando no desean pasar de nuevo por el quirófano, cuando aún no están seguras de querer reconstruirse el pecho, o bien cuando afrontan la pérdida del seno como una situación transitoria, es decir, cuando deben esperar un tiempo para esa reconstrucción debido a los tratamientos de radioterapia o quimioterapia a los que se han sometido o deben someterse.

Justo después de la cirugía, se recomienda emplear prótesis de algodón, de menor peso y más delicadas con la piel y las cicatrices iniciales. Sin embargo, las prótesis de silicona generan movimientos y sensaciones más similares a las del pecho natural, de modo que se puede recurrir a ellas en cuanto el médico así lo indique. Estas prótesis se adaptan al cuerpo con sujetadores adecuados que permiten llevar una vida normal e, incluso, practicar algún tipo de deporte. En todos los casos, existen tallas y modalidades que se adaptan a las diferentes formas y estilos de vida, así que una recomendación válida es informarse bien y probar hasta encontrar la prótesis con la que cada mujer se encuentre más a gusto.

No obstante, también es cierto que, a pesar del enorme esfuerzo de la industria médica en obtener prótesis externas que generen mejores volúmenes y texturas y, sobre todo, mayor comodidad para las pacientes, muchas de ellas aún se quejan de los inconvenientes que pueden ocasionar: incomodidad debido al peso de la prótesis; calor, excesiva sudoración o molestias en el tórax que, en algunas mujeres, pueden producir dermatitis en verano; así como la sensación de que, por muy sujeta que la prótesis esté en la ropa, se puede caer si la paciente se agacha, juega con niños o practica deportes como la natación.

Finalmente, la reconstrucción mamaria constituye la tercera gran opción tras la cirugía contra el cáncer de mama, ya que ayuda a aquellas mujeres que no

¿Dónde se pueden adquirir las prótesis externas?

En ortopedias y otras tiendas especializadas, pero también podemos consultar sobre estos productos en las páginas web de los principales fabricantes en España:

→ Amoena: www.amoena.com/es
→ AnitaCare: www.anita.com

Además, la mayoría de las unidades funcionales de mama disponen de información para conseguir estas prótesis externas y algunos centros hospitalarios incluso las facilitan de forma gratuita. También existen ayudas públicas, del Instituto Nacional de la Seguridad Social, para adquirir este tipo de prótesis.

quieren asumir la pérdida del seno como algo irreversible. De modo más específico, la reconstrucción ayuda a recuperar la percepción de plenitud física de la mujer, proporciona sensación de curación y de control de la propia vida después de la experiencia del cáncer, incrementa la confianza en su apariencia física, repara los efectos más crudos de la mastectomía y libera de la incomodidad de ponerse y quitarse prótesis o de tener que utilizar ropa o lencería especial. Y, sobre todo, aporta una sensación de cierre a la lucha emocional y física mantenida a lo largo del diagnóstico y tratamiento del tumor.

Durante mucho tiempo, reconstruir el pecho se había considerado como algo accesorio e incluso frívolo, también por parte de los mismos oncólogos, para quienes lo primordial era la curación de la enfermedad. Por fortuna, la medicina ha avanzado y avanza hoy no sólo para mejorar la supervivencia y el pronóstico de las pacientes, sino también para mejorar su calidad de vida durante la enfermedad y para que, una vez superada, recuperen la vida que llevaban antes del cáncer de mama. Por eso, las técnicas de reconstrucción son cada vez más aconsejadas y seguidas por los mismos médicos que tratan el cáncer de mama y por las pacientes ya que, aunque presentan diferencias entre sí que comentaremos en las próximas páginas, ofrecen buenos resultados a la hora de recuperar el volumen de la mama y la simetría del pecho en general, dos aspiraciones importantes de las afectadas por estos tumores.

La reconstrucción del seno

¿Quién es la paciente idónea para la reconstrucción mamaria? Simplemente aquella que verdaderamente desea esa reconstrucción porque, por fortuna, la mayoría de las mujeres pueden someterse a alguna de las técnicas existentes e incluso optar a una reconstrucción inmediata, en el mismo momento en que se realiza la mastectomía. No obstante, quien debe indicar el momento idóneo para este proceso es el equipo médico que trata el cáncer de mama en coordinación con el cirujano plástico.

Una solución estética y psicológica

Tras la reconstrucción mamaria, las mujeres experimentan, no sólo una mejoría estética, sino lo que se denomina “mejoría funcional”. Es decir, la reconstrucción debe satisfacer el objetivo estético de recuperar el contorno de la mama, pero sobre todo debe conseguir que la mujer vuelva a sentir el pecho como parte de su cuerpo en todo momento: cuando abraza a su pareja, toma el sol en la playa o se mira en el espejo. Esa mejoría funcional se logra cuando la mama no sólo recupera la forma del pecho natural, sino cuando se comporta como un tejido vivo que forma parte del cuerpo.

Ya hemos comentado que las afectadas deben estar correctamente informadas para entender las diferentes técnicas para reconstruir el pecho y, así, poder participar en la decisión sobre cuál de ellas se adapta mejor a sus necesidades emocionales y físicas. Los avances médicos en la reconstrucción mamaria han experimentado una evolución muy rápida en las últimas décadas, de manera que el cirujano plástico –integrado en una unidad de mama o coordinado con ella– cuenta con varias técnicas para adaptarse lo mejor posible a cada una de las pacientes. Estos procedimientos se dividen en dos grandes grupos, a los que se puede sumar un tercero (menos habitual).

→ **La reconstrucción mediante implantes.** Estas técnicas aportan volumen al pecho mediante la implantación de una prótesis en la zona del tórax. Entre ellas, la más conocida –y una de las más utilizadas en las décadas anteriores– es la técnica del implante con expansión tisular (de los tejidos). Estas operaciones se caracterizan por ser relativamente sencillas desde el punto de vista quirúrgico aunque, a su vez, suelen ofrecer resultados aceptables en la mayoría de los casos. Además, como los implantes tienen limitaciones, sus resultados no son definitivos. En el cuarto apartado de este mismo capítulo daremos más detalles sobre las técnicas de implante directo, implante con expansor e implante Becker.

→ **La reconstrucción de la mama con tejido del propio cuerpo.** Se trata de técnicas que utilizan tejidos de la propia paciente, los más parecidos a la mama, para realizar la reconstrucción del pecho. Son algo más complejas, pero presentan resultados más satisfactorios y duraderos para las pacientes. Emplean grasa y tejidos del abdomen, nalgas... que se transfieren al pecho modelados con la forma de seno en una única operación quirúrgica. Esta técnica –también denominada "reconstrucción autóloga"– puede aplicarse cuando se efectúa la mastectomía o bien años después de la misma. Dentro de este tipo de reconstrucción existen varias alternativas como el DIEP, SIEA, TRAM, dorsal ancho, colgajos glúteos, colgajo de grácilis, epiplón y los injertos de grasa.

> Casi la totalidad de las mujeres mastectomizadas pueden someterse a algún tipo de reconstrucción mamaria. Sin embargo, según datos de la Sociedad Española de Cirugía Plástica, Reparadora y Estética (SECPRE), sólo el 12 por ciento de ellas decide reconstruir su pecho o pechos en España. Esta cifra se debe a que buena parte de las enfermas no recibe la información adecuada tras el diagnóstico y el tratamiento de su enfermedad.

→ **La reconstrucción mediante técnicas mixtas.** Además, podríamos incluir un tercer grupo que reuniría las técnicas que combinan el uso de tejidos propios de la paciente con implantes. De todo ello hablaremos a fondo en el citado apartado 4.

Sin duda, como hemos comentado con anterioridad, el cirujano plástico especializado en cirugía mamaria es la persona más adecuada para explicar a fondo en qué consiste cada tipo de reconstrucción, así que ninguna mujer debería dudar en acudir a él, incluso antes de tomar la decisión definitiva sobre si reconstruirse o no el pecho. Si la paciente tiene dudas, conviene tomarse el tiempo necesario para reflexionar y solicitar una segunda opinión hasta estar convencida de los pasos que quieren dar. Son muchos los posibles beneficios derivados de esta decisión, ya que estas intervenciones ayudan a que la recuperación de las pacientes sea más completa y tenga en cuenta todos los factores –médicos, funcionales, estéticos, psíquicos, sexuales...– que mejoran la calidad de vida de las personas.

Antes de profundizar en las técnicas de reconstrucción mamaria que existen en la actualidad y en los casos en que conviene aplicar cada una de ellas, hay que preguntarse hasta qué punto coinciden los objetivos que quiere conseguir el cirujano y las expectativas que tiene la mujer ante la reconstrucción de la mama. Ese punto de partida nos ayudará también a saber cuándo y dónde conviene realizar la reconstrucción y nos orientará sobre cómo elegir la técnica más adecuada e, incluso, el cirujano plástico idóneo para realizarla.

1. Los objetivos del cirujano plástico y las expectativas de las pacientes en la reconstrucción mamaria

Decíamos al concluir el punto anterior que cualquier mujer que se enfrenta a una reconstrucción mamaria tiene una serie de expectativas ante ese nuevo paso en su completa recuperación del cáncer de mama. Esas expectativas van mucho más allá del hecho de tener un pecho con la apariencia más natural posible. En realidad lo que desea es, llana y simplemente, sentirse como antes.

Tras numerosos años de trabajo con pacientes que han sufrido cáncer de mama, podemos afirmar que estas mujeres desean desde cosas tan simples como recuperar la rutina diaria anterior al cáncer de mama hasta otras bastante más complejas, como restablecer su imagen corporal, reforzar su feminidad y reducir el estrés psicológico que les ha generado el cáncer. Son expectativas funcionales y estéticas a la vez, muchas veces difíciles de separar unas de otras. Es decir, la mujer quiere ir de compras y sentirse cómoda y tranquila tras las cortinas de los probadores. Quiere ir a la playa o a la piscina sin ninguna preocupación añadida. Quiere practicar su deporte favorito y compartir el vestuario del gimnasio con la misma naturalidad con la que lo hacía antes de superar la enfermedad. Quiere verse en el espejo y sentirse tan atractiva como antes. Quiere relacionarse con su pareja sin ser consciente del vacío que ha dejado la mama mastectomizada. Quiere sentirse segura en sus relaciones sexuales. Quiere abrazar a sus hijos o a sus nietos y que ellos puedan acariciarla y jugar con ella como lo habían hecho siempre. Quiere moverse, subir y bajar, agacharse... sin temor a que la prótesis pueda caerse en un momento determinado. Quiere olvidar las posibles irritaciones o el calor que algunas prótesis externas generan en contacto con la piel. Quiere vivir sin que la mastectomía condicione su trabajo, sus aficiones, su afectividad... En definitiva, quiere sentirse como antes.

Si ésas son las expectativas de la paciente, ¿cuáles son los objetivos del cirujano plástico ante la reconstrucción mamaria? Hablaría de dos objetivos concretos y, después, de un gran objetivo general. El cirujano pretende crear una mama lo más similar posible al seno natural –en la forma, el tacto y también en su evolución posterior– y busca hacerlo con el mínimo sacrificio posible para la paciente, es decir, busca reconstruir sin destruir. Sin embargo, por debajo de esos dos objetivos específicos, subyace un gran objetivo más amplio: el de reconstruir a la mujer que ha sufrido un cáncer de mama.

> La clave reside en que el cirujano plástico comprenda a fondo las citadas expectativas de la mujer y entienda que la mama no es sólo una imagen o un mero anexo de la paciente. Por eso, su objetivo debe ser el de reconstruir una mujer y no una mama, reconstruir una mujer para que se sienta como antes.

Con ese objetivo a la vista, el especialista se plantea cada reconstrucción mamaria como un caso único, porque cada mujer es única y se enfrenta a un entorno propio único. No son iguales las expectativas y las necesidades de una madre de familia de 50 años con pareja estable que las de una joven de 30 años que aún tiene su vida sentimental por decidir, o que las de una mujer de 70 años que también se ha planteado la reconstrucción del seno. Para ellas, sentirse como antes y volver a su rutina habitual pueden significar cosas diferentes.

Desde esa finalidad básica y con todo el contexto médico particular de cada mujer, el cirujano plástico puede recomendar la técnica de reconstrucción mamaria más apropiada y personalizarla para cada una de las pacientes. Así se puede lograr el resultado funcional y estético más adecuado. Y, sobre todo, mejorar la calidad de vida de la mujer.

2. Cuándo y dónde debemos realizar la reconstrucción mamaria

Tanto la mujer como el cirujano plástico saben que la reconstrucción mamaria es una cirugía electiva y, por tanto, el cuándo y el cómo de esta intervención forman parte de una decisión consensuada. Ya hemos ido comentando en estas páginas que casi todas las mujeres mastectomizadas pueden, desde el punto de vista médico, ser candidatas para reconstruirse la mama y que la técnica más adecuada dependerá del tipo de tumor que haya sufrido la paciente, del estadio en el que se haya encontrado, de la cirugía a la que se haya sometido, de los tratamientos complementarios que se hayan administrado (como la quimioterapia o la radioterapia), así como del historial médico y de las características de cada mujer. Ahí, en las características específicas de cada mujer, incluyo no sólo su situación de salud actual sino cómo se siente y afronta los tratamientos, las consecuencias de la enfermedad, el paso por el quirófano...

Todos esos factores también nos ayudarán a determinar cuál es el momento más adecuado tanto desde el punto de vista médico como desde el punto de vista emocional y psíquico. En este punto resulta esencial recordar que en algunos casos se puede realizar la reconstrucción en el mismo momento en que se practica la mastectomía, algo que desafortunadamente desconocen muchas de las pacientes que podrían beneficiarse de esta posibilidad. En otras ocasiones, hay que realizar la reconstrucción una vez se ha completado el tratamiento para controlar el cáncer, en especial la radioterapia o quimioterapia, y cuando las secuelas de esos tratamientos ya no impiden realizar una nueva intervención en condiciones óptimas. El oncólogo y el cirujano plástico, siempre en contacto entre ellos, son quienes pueden recomendar el momento más adecuado para cada mujer. Y la mujer es quien, con toda la información en la mano, puede decidir el momento más adecuado para ella según sus deseos, su estado de ánimo y su situación personal.

> Sin embargo, podemos afirmar sin ningún tipo de dudas que la reconstrucción mamaria siempre aporta un beneficio positivo, como de hecho así lo expresan la mayoría de las pacientes que en su día dudaron ante la intervención. De ahí que, ante la duda razonable, la recomendación debería ser la de reconstruir el pecho.

Por eso, cuando la mujer experimenta dudas sobre si reconstruir el seno o no, debe tomarse tiempo para reflexionar sobre la información que ha recibido al respecto.

En cuanto a dónde realizar la reconstrucción mamaria, por fortuna, cada vez son más numerosas las unidades funcionales de mama que incorporan un cirujano plástico o que informan con fiabilidad a las pacientes de adónde pueden dirigirse para afrontar la reconstrucción mamaria como último paso en el tratamiento integral del cáncer. También cada vez son más los centros públicos y privados españoles que practican la cirugía plástica reconstructiva a un gran nivel técnico y, también, con una gran calidad de atención humana a las pacientes.

En todo caso, desde el punto de vista profesional, la recomendación es informarse de si el centro y el equipo que nos atienden poseen una trayectoria reconocida y una amplia experiencia en las diferentes técnicas de reconstrucción mamaria, en especial aquellas que son más avanzadas y ofrecen mejores resultados funcionales y estéticos, como el DIEP y el SIAE, que describiremos en el cuarto apartado de esta misma parte del libro. En España, la Clínica Planas y el Hospital de Sant Pau, ambos en Barcelona, destacan como centros médicos pioneros en aplicar las técnicas de reconstrucción mamaria microquirúrgicas, ahora ya con más de una década de experiencia en este campo.

Las pacientes que vivan en una gran ciudad probablemente puedan encontrar un centro experimentado en cirugía plástica reconstructiva allí mismo, aunque también pueden contemplar desplazarse a otra región si así se van a sentir más cómodas y tranquilas. Los oncólogos, los ginecólogos y los quimioterapeutas, que ven a muchas mujeres reconstruidas, pueden facilitar a la paciente información de los equipos y centros de calidad, así como la Asociación Española de Senología y Patología Mamaria, la Sociedad Española de Cirugía Plástica Reparadora y Estética (SECPRE) o las diferentes asociaciones de ayuda para las mujeres con cáncer de mama. Pero, de hecho, las mejores referencias vienen de las mujeres que han atravesado satisfactoriamente esta experiencia.

Conviene insistir en que todas las pacientes tienen derecho a una reconstrucción mamaria de calidad. Por eso, si la afectada duda de que en su ciudad o región de residencia puedan ofrecérsela, conviene exigir una segunda opinión en un centro de referencia. La posibilidad de mejorar la calidad de vida está en manos de la propia mujer.

En todo caso, sólo de ese modo tenemos todas las garantías de que la solución que nos ofrecen es la idónea para nuestro caso y no una solución que viene determinada por la falta de experiencia del centro o del cirujano con unas técnicas concretas. Las mujeres tienen derecho a conocer todo el catálogo posible de técnicas reconstructivas y no sólo aquellas que practica un centro concreto. Por supuesto, esto constituye también un factor fundamental para elegir el médico más adecuado, como veremos a continuación.

3. Cómo eligir a nuestro cirujano plástico

Acabamos de comentar el criterio fundamental para decidir dónde someterse a la reconstrucción mamaria: que el centro médico tenga amplia experiencia en las técnicas más avanzadas y no sólo en alguna de ellas. Eso nos va a conducir hacia un cirujano plástico especialista en reconstrucción oncológica y que haya realizado numerosas intervenciones de este tipo: ésta es la mejor garantía para tener éxito en este camino hacia la superación total del cáncer de mama. Es muy importante confirmar que el cirujano plástico tiene una amplia experiencia y formación específica en microcirugía mamaria. Sólo uno especializado puede conocer las diferentes técnicas con detalle y adaptarlas a las necesidades de cada mujer. Un buen cirujano plástico se puede comparar con un escultor que debe trabajar a partir del pecho mastectomizado de la paciente y que, por eso, conoce todos los materiales posibles y cómo manejarlos.

Quizá la paciente tenga la suerte de encontrarse con este tipo de especialista en la primera consulta que realiza. O incluso puede que se sienta vulnerable y, por tanto, aliviada de que ese especialista tome todas las decisiones sobre la reconstrucción de su mama. Sin embargo, compensa dedicarle algo más de tiempo y esfuerzo para tomar las riendas y buscar el mejor cirujano posible en nuestras circunstancias, ya que será la mujer quien deba convivir con el resultado de su trabajo. Por eso, no hay que descartar el valor de una segunda, o incluso tercera, opinión médica. Es una práctica habitual en cualquier tipo de intervención quirúrgica o problema de salud.

De forma resumida, podríamos decir que el cirujano plástico ideal debería concentrar cinco características fundamentales: habilidad, empatía, compenetración, honradez y claridad.

Sin necesidad de precipitarse

La cirugía de reconstrucción no es una urgencia vital, de modo que es preferible tardar unas semanas en decidir qué cirujano va a operar y con qué técnica. Así se puede entrar con tranquilidad y confianza en la intervención, en lugar de precipitarse en una decisión que no nos convence del todo. Hay que tomarse el tiempo necesario para poder decidir qué tipo de intervención puede ayudarnos mejor.

→ **Habilidad y experiencia quirúrgica.** Reconstruir el pecho va más allá de crear un "bulto" (tal como aún se expresan desafortunadamente algunos médicos), ya que implica crear un nuevo seno, darle la forma y la simetría correcta, única y diferente en cada mujer. La formación del cirujano, su trayectoria profesional, fotos de sus intervenciones y también la información que facilitan las pacientes a las que ha operado pueden ayudar a conocer este aspecto.

> Hay que valorar la experiencia del médico a partir de algo más que un simple folleto informativo o una página web. Después de conocerlo y visitarlo, debe transmitir seguridad y confianza

→ **Empatía.** Un buen cirujano plástico debe preocuparse por las expectativas de la paciente y entender sus circunstancias personales. No debe desentenderse de su ansiedad o sus inquietudes, sino que debe escucharla e intentar comprenderla desde todos los puntos de vista. Todas las personas son diferentes y lo mismo sucede con las mujeres que han superado el cáncer de mama.

→ **Compenetración.** A veces encontramos un gran especialista que, sin embargo, no sintoniza con nuestra

¿Cómo preparar la primera visita con el cirujano plástico?

1 → **Llevar el historial médico completo.** Hay que intentar aportar el mayor número posible de las pruebas diagnósticas realizadas anteriormente, así como entregar un listado de todos los medicamentos, vitaminas e, incluso, los tratamientos naturales que se estén tomando. También, cualquier informe médico de las intervenciones previas.

2 → **Acudir acompañada.** Se trata de visitas muy intensas, con mucha información y detalles que entender y retener, así que resulta mejor visitar al cirujano en compañía.

3 → **Expresarse con libertad.** Hay que dejar los temores fuera de la consulta y manifestar con claridad qué se espera de la reconstrucción y qué preocupaciones se tienen. Además, a veces habrá que volver a preguntar algo que no se ha entendido, o un detalle que no ha quedado suficientemente claro, así como pedir más explicaciones sobre algún otro aspecto que nos confunde o profundizar en algún punto de las explicaciones del cirujano. Algunas pacientes se relajan si van a la consulta con una lista de las dudas y preguntas que quieren plantear.

4 → Tomar notas. Los nervios y la enorme cantidad de información que facilita el cirujano pueden jugar malas pasadas. Algunas pacientes salen de la consulta y se dan cuenta de que no han podido asimilar todo cuanto se ha dicho. Es bueno anotar los puntos clave de la conversación para poder revisarla más adelante.

A pesar de estas recomendaciones, la paciente no debe dudar en telefonear al cirujano o concertar una nueva visita en su consulta si persisten las dudas.

forma de ser o con el que resulta difícil comunicarnos. Quizá resulte agresivo, demasiado impersonal o, incluso, todo lo contrario para nuestro gusto. Compenetración también significa saber escuchar, dialogar y responder a las preguntas todas las veces que resulte necesario para, así, llegar a entenderse y transmitir confianza. Implica establecer una conexión entre el médico y la paciente.

→ **Honradez.** A veces buscamos personas que nos digan lo que queremos oír. En cambio, nos conviene un cirujano que describa con realismo lo que podemos esperar de la reconstrucción y de la recuperación y qué aspecto tendremos después. Conviene desconfiar del profesional que sólo ofrece una posibilidad quirúrgica, o que hace todo tipo de promesas de perfección y evita hablar de los posibles inconvenientes presentes o futuros. A pesar de los grandes avances de la cirugía plástica, aún no existen "varitas mágicas" pues, desafortunadamente, siempre que hay una intervención también hay algún tipo de secuela.

→ **Claridad.** Vinculada a la honestidad profesional, la claridad va más allá, pues se refiere a la capacidad para explicar de una forma sencilla y comprensible las diferentes posibilidades quirúrgicas: los detalles de cada procedimiento, las expectativas que ofrece y las posibles complicaciones que puedan surgir. Un cirujano es claro cuando la paciente sale de su consulta, no sólo con una idea realista sobre sus posibilidades de reconstrucción, sino también con una idea que comprenda y sobre la cual pueda tomar una decisión. Hay que recordar que la decisión final debe ser tomada entre el cirujano plástico y la paciente: debe ser una decisión consensuada.

Por otro lado, a veces las pacientes tienen la sensación de que no han aprovechado al máximo la primera visita que realizan con el cirujano plástico, algo que se puede lograr con un poco de preparación previa que permita resolver todas las dudas.

Por supuesto, a partir de esa primera visita, hay que darse un tiempo para decidir sobre el cirujano plástico, así como sobre el tipo de reconstrucción. Esa reflexión será más relajada y fructífera si la paciente ha podido tratar todos los puntos importantes durante la consulta.

Una vez elegido el cirujano plástico que realizará la reconstrucción mamaria y seleccionado el procedimiento más adecuado, la paciente debería poder explicar con claridad a una tercera persona, un familiar o un amigo, qué tipo de intervención quirúrgica se le va a practicar y por qué resulta la más adecuada en su caso. Ese diálogo o conversación probará que la paciente realmente está informada y preparada para la reconstrucción.

4. Las diferentes técnicas de reconstrucción mamaria

En este capítulo vamos a entrar en detalles más técnicos, aunque expresados con la mayor sencillez posible, sobre las diferentes tipologías de reconstrucción

16 preguntas para tu cirujano plástico

1→ ¿Qué opción reconstructiva es la que más me conviene y por qué?
2→ ¿Qué experiencia tiene en este tipo de cirugía?
3→ ¿Cuántas operaciones y visitas necesitaré y cuánto tiempo durará el proceso?
4→ ¿Cómo reconstruirá el pezón y la areola?
5→ ¿Cuántas cicatrices tendré y dónde estarán situadas?
6→ ¿Cuál es el mejor resultado que puedo esperar?
7→ ¿Cuánto durará la cirugía, la estancia en el hospital y la recuperación?
8→ ¿Cuándo podré volver a trabajar?
9→ ¿Cómo será la recuperación y hasta qué punto será dolorosa?
10→ ¿Qué riesgos y efectos secundarios conlleva la reconstrucción en mi caso?
11→ ¿Hasta qué punto armonizarán mi pecho reconstruido y mi pecho sano? ¿Cómo evolucionará en el futuro?
12→ ¿Qué sucede si no me satisface el resultado?
13→ Si existe alguna complicación quirúrgica y la técnica elegida fracasa, ¿qué opciones reconstructivas tendré y con qué expectativas de éxito reales?
14→ ¿Cuánto me costará el tratamiento? (Si la paciente asume alguna parte del coste.)
15→ Si existe alguna complicación quirúrgica o la técnica elegida fracasa, ¿qué coste tendrán las opciones o tratamientos posteriores?
16→ ¿Me operará usted y seguirá mi evolución durante el postoperatorio?

mamaria que se han practicado y se practican en la actualidad. Cuando sea necesario, las ilustraciones y fotografías ayudarán a aclarar los procesos más complejos. De todos modos, a pesar de la abundante y detallada información que aquí se incluye sobre la reconstrucción del pecho, probablemente el cirujano plástico pueda ampliar los aspectos que la paciente necesite.

Las siguientes páginas responden de forma concreta a tres grandes cuestiones sobre cada tipo de intervención: en qué consiste, qué beneficios aporta a la paciente y qué inconvenientes puede llegar a ocasionar. De este modo, las pacientes podrán comprender qué tipo de reconstrucción se adecua mejor tanto a su situación médica como a sus aspiraciones personales y, así, podrán dialogar con el equipo médico y el cirujano plástico con toda la información en la mano.

La reconstrucción con implantes

En la imagen, implantes redondos de diferentes proyecciones. Este tipo de reconstrucción ofrece ventajas, como la brevedad de la intervención.

Fotografía cedida por Allergan

Para exponer cada una de las técnicas reconstructivas con mayor claridad, vamos a agruparlas en tres grandes bloques: las técnicas que utilizan implantes mamarios, las técnicas que recurren a tejidos propios de la paciente y, por último, las técnicas que combinan los dos tipos de reconstrucción anteriores.

4.1. Las técnicas de reconstrucción con implantes mamarios

Desde la década de los sesenta, la industria médica y farmacéutica ha realizado un gran esfuerzo para conseguir implantes mamarios que se adapten lo mejor posible a las necesidades de las mujeres mastectomizadas. Conceptos tan revolucionarios como la expansión de los tejidos mediante implantes rellenables han ayudado a mejorar los resultados de estas reconstrucciones mamarias.

De hecho, durante la década de los ochenta, cuando las técnicas de reconstrucción autóloga (con tejidos de la paciente) dejaban secuelas considerables, las prótesis mamarias fueron las técnicas predominantes en este ámbito. Por fortuna, los avances en el conocimiento de la anatomía y la tecnología han reducido enormemente las lesiones colaterales que causan las reconstrucciones con tejido propio y, por esa razón, en la actualidad, los implantes se indican en casos determinados para lograr resultados satisfactorios.

En todo caso, la reconstrucción con implantes ofrece ventajas como la brevedad de la intervención, la sencillez técnica y el hecho de que no produce nuevas cicatrices. Sin embargo, también presenta limitaciones considerables.

→ Por un lado, aunque la cirugía dura poco tiempo, completar el proceso de reconstrucción requiere un período bastante más largo, ya que una de las técnicas más empleadas, la del expansor, necesita varios meses y varias visitas al médico para preparar una segunda intervención quirúrgica donde se realiza la reconstrucción definitiva.

→Por otro lado, una segunda limitación de los implantes consiste en que, a diferencia de los tejidos vivos, los implantes son elementos extraños al cuerpo humano y, a la vez, elementos artificiales que sufren un desgaste. Eso significa que puede ser necesario su reemplazo en un futuro.

→En tercer lugar, la paciente necesitará un tiempo (unos meses) para acostumbrarse al implante y a las sensaciones que le genera al realizar determinados movimientos. No se trata de sensaciones dolorosas, sino de cierta tirantez o ligeras molestias que le hacen ser consciente de que el pecho reconstruido no forma parte de su cuerpo de la misma manera que la mama sana.

→ En cuarto lugar, aunque muchas mujeres pueden sentirse satisfechas con el resultado logrado por los implantes, éstos no tienen la misma forma, caída, movimiento y evolución que la mama natural: son más firmes y pesados y así suelen permanecer. De hecho, con el paso de los años, el implante acaba creando una asimetría entre ambos pechos que a menudo precisa de cirugía plástica adicional. Es decir, el implante es un elemento estático, que no cambia ni evoluciona en sintonía con los cambios y evoluciones del resto del cuerpo femenino.

→ Finalmente, en algunas mujeres se pueden producir complicaciones como la contractura capsular o la intolerancia al implante. De todo ello se habla más extensamente en las páginas siguientes.

En algunos foros aún se sigue planteando si los implantes son o no seguros para la mujer. En este sentido, a pesar de toda la discusión sobre la posible interacción negativa del implante en el cuerpo, numerosos estudios han demostrado que no existe ninguna relación entre las prótesis mamarias internas y el cáncer, ni con las enfermedades reumáticas o las de tipo autoinmune.

No obstante, aunque puede existir alguna pequeña excepción, la comunidad científica está de acuerdo en que las técnicas de reconstrucción mamaria con implantes están desaconsejadas en las pacientes que han recibido radioterapia (Consenso de reconstrucción mamaria entre la Sociedad Española de Senología y Patología Mamaria, SESPAM, y la Sociedad Española de Cirugía Plástica Reparadora y Estética, SECPRE, de febrero de 2008). La radiación ha supuesto un gran avance terapéutico para las pacientes con cáncer de mama pero, además de actuar contra las células cancerígenas, también afecta al área del tórax, de modo que reduce la elasticidad de la piel, la vitalidad del tejido subcutáneo, los músculos y la circulación sanguínea. En estos casos, se suele crear una cápsula cicatricial alrededor del implante (ver punto B de este mismo apartado) que, con frecuencia, no sólo puede resultar dolorosa, sino que distorsiona la forma del implante.

Dentro de este grupo de técnicas, podemos detallar tres tipos de reconstrucción mamaria específicos: los implantes directos, los implantes de tipo expansor y los implantes tipo Becker.

A) Los implantes directos

Esta técnica se puede aplicar en algunas mujeres de pecho poco voluminoso y que tengan suficiente piel y una estructura torácica adecuada como para acoger un implante directo durante la reconstrucción, sin tener que recurrir después a métodos de expansión o a la cirugía para reemplazar ese implante por otro. Por esa razón, por el hecho de que sólo resulta aplicable a un pequeño grupo de afectadas, es una técnica relativamente minoritaria. De hecho, esta técnica sólo resultaría indicada en reconstrucciones de pecho inmediatas para mujeres que no deben recibir radioterapia y que, además, por el tipo de tumor que les afecta, se someten a una mastectomía ahorradora de piel.

Este tipo de cirugía implica crear un espacio, una especie de bolsa, bajo el músculo pectoral mayor para poder alojar allí el implante. No se trata de un proceso complejo: el cirujano plástico trabaja a partir de las incisiones o cicatrices de la mastectomía, eleva el citado músculo y crea allí un espacio de la forma y el tamaño adecuados para cada paciente.

Para este tipo de reconstrucción, existe una gran variedad de implantes, aunque los más empleados son los de silicona de gel cohesivo, que pueden presentar diferentes formas y perfiles. Este material, la silicona, está presente en la vida cotidiana de la mayor parte de las personas a través de cosméticos, lociones, tejidos, lubricantes, adhesivos, neumáticos..., así como a través de productos farmacéuticos y artículos médicos

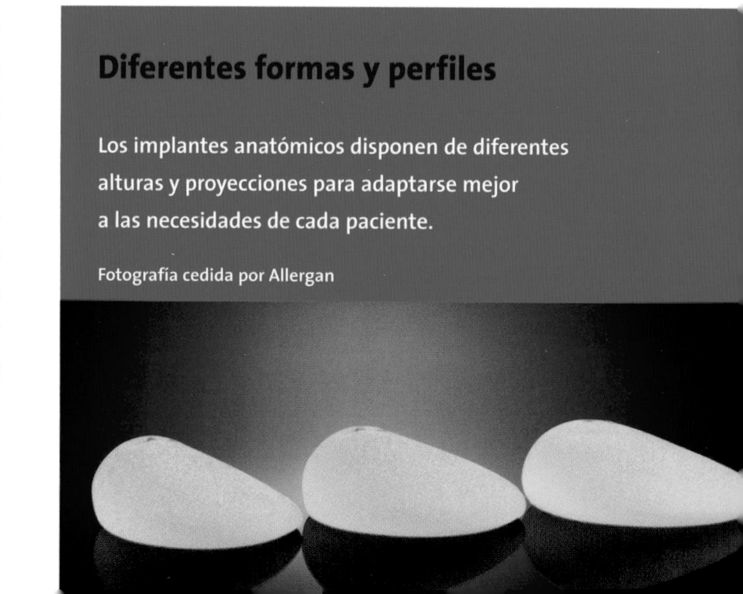

Diferentes formas y perfiles

Los implantes anatómicos disponen de diferentes alturas y proyecciones para adaptarse mejor a las necesidades de cada paciente.

Fotografía cedida por Allergan

Reconstrucción con implantes directos

Cirugía	1-2 horas
Hospitalización	1-2 días
Actividad diaria habitual	2-3 semanas
Deportes y actividad enérgica	4-5 semanas
Crear el pezón y la areola	2-4 meses

como los marcapasos o prótesis para diferentes miembros del cuerpo humano. En cuanto a la forma de estas prótesis mamarias, hoy se tiende a trabajar con implantes anatómicos –en forma de gota de agua–, ya que son los que más se asemejan a la forma natural de la mama.

En todo caso, además del tipo de implante elegido, hay otros factores igual de importantes que determinarán la forma final del pecho reconstruido: la estructura del tórax de cada paciente, la musculatura existente y la elasticidad de la piel. Además, cuando se aplica esta reconstrucción mamaria, el cirujano debe informar a la paciente sobre si se puede, o si le conviene, realizar también algún ajuste en la mama sana –ya sea aumento o reducción– para conseguir que haya mayor simetría, tanto en la forma como en la consistencia, entre los dos pechos.

Después de la operación reconstructiva, que suele durar alrededor de 2 horas, la paciente permanecerá 1 o 2 días en el hospital y deberá guardar un reposo relativo en su hogar, durante otros 3 o 4 días más. Es normal sentir entumecimiento, pesadez o incluso dolor en la zona del pecho durante algunos días, así como cansancio y molestias durante un par de semanas. Sin embargo, poco a poco, la paciente recuperará la movilidad en los brazos y tendrá suficiente energía para incorporarse a su actividad habitual. A partir de ahí, hay que esperar unos meses, hasta que el pecho se haya asentado, para crear el pezón y la areola, tal como se explica en el capítulo 6.

b) Los implantes de tipo expansor

En realidad, la mayoría de las reconstrucciones con implantes requieren utilizar expansores en un primer momento. La expansión consiste en dilatar la piel y el tejido celular subcutáneo (de la zona del tórax) mediante un implante rellenable que se llena progresivamente en visitas ambulatorias (sin ingresar en el hospital) hasta conseguir el espacio necesario para albergar una prótesis definitiva. Se trata de un proceso parecido al que experimenta el abdomen de la mujer durante el embarazo.

Por eso, el primer paso de esta intervención consiste en crear un espacio bajo el músculo pectoral mayor para colocar el expansor, que actúa como una especie de implante temporal. Se trata de un procedimiento sencillo, aunque hay que calcular correctamente el tamaño del espacio que se genera bajo el tórax: ni demasiado grande como para que el implante se mueva, ni demasiado pequeño como para que el implante quede excesivamente firme o se deforme. A partir de aquí se introduce el expansor vacío y se completa con la cantidad de suero salino conveniente para crear un primer volumen o montículo. Ese implante temporal incorpora una válvula que, mediante un pequeño pinchazo indoloro, permitirá administrar a través de la piel el suero salino que rellena la prótesis. Después, el cirujano pone un drenaje y cierra la incisión con puntos absorbibles, que no requieren extraerse después. Para completar este proceso la paciente pasa unos dos días hospitalizada y, cuando se le retira el drenaje, puede regresar a su domicilio con un sujetador de tipo deportivo, sin costuras. Allí conviene que repose durante 3 o 4 días y que, después de una semana de la operación, se incorpore a su actividad normal.

¿Qué sucede después de esta primera cirugía? Una vez la paciente se ha recuperado, el expansor se va inflando progresivamente con suero salino durante varias semanas (entre 4 y 6 meses, aunque el período exacto depende de la elasticidad de la piel y de la tolerancia al proceso) para crear un espacio o bolsa bajo la musculatura de tamaño suficiente para alojar el implante de la forma más natural posible y, así, reproducir la forma de la otra mama.

Aunque este procedimiento de relleno dura poco tiempo y normalmente no resulta doloroso, presenta algunos inconvenientes: además de tener que visitar la consulta del cirujano de forma regular (cada 2 o 3 semanas) hasta que el expansor se haya inflado del

Reconstrucción mamaria mediante expansor tisular

1. Pecho mastectomizado

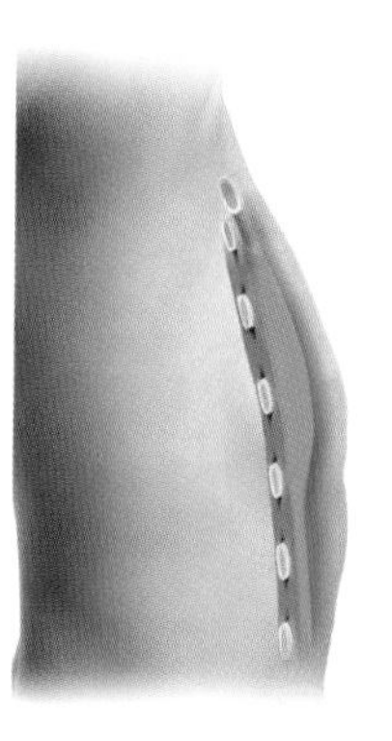

2. Anatomía de la zona

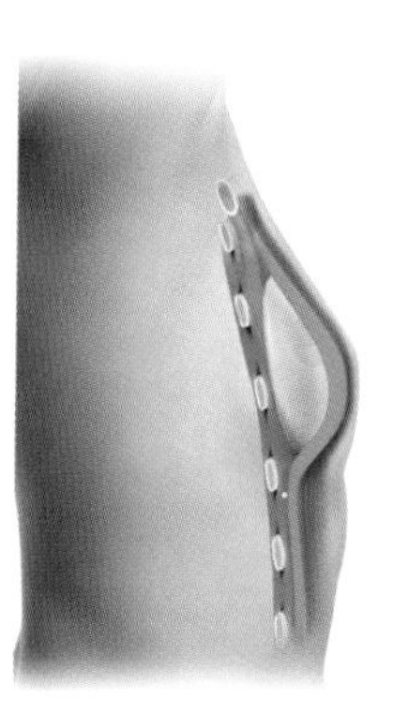

3. Expansor subpectoral en fase de llenado

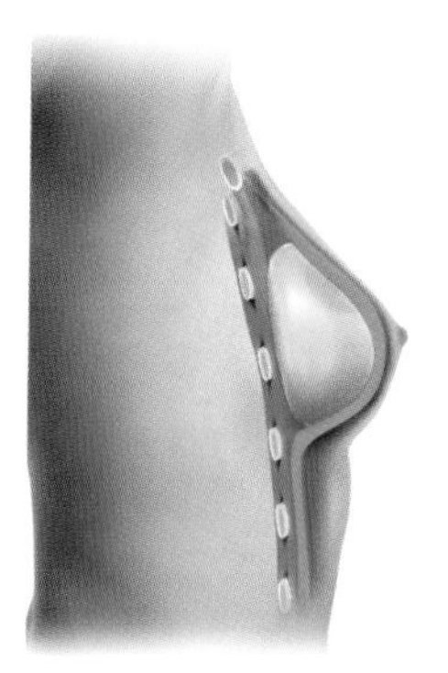

4. Prótesis definitiva subpectoral

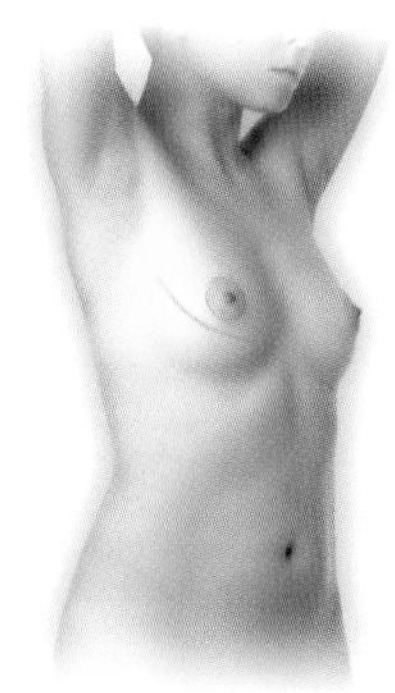

5. Reconstrucción con expansor finalizada

todo, se puede experimentar tirantez y molestias después de cada sesión de relleno y dificultades para vestirse con ropa que se ajuste a la expansión progresiva del pecho. Como el pecho cambiará continuamente de volumen, se pueden utilizar pequeños rellenos de algodón en el sujetador para compensar la diferencia con la otra mama. Es más, durante la última fase de expansión se suele rellenar el implante un 20 por ciento más de lo necesario, de modo que durante ese corto período de tiempo la mujer suele necesitar esos rellenos en el sostén del pecho sano.

Debido a estos cambios, se recomienda mantener una buena hidratación de la piel del tórax durante todo el proceso de expansión. De hecho, la paciente podrá apreciar una transformación significativa después de cada uno de los rellenos con gel salino, aunque el pecho no se parezca a cómo será cuando finalice todo el proceso. Es decir, mientras dura la expansión del implante provisional, el pecho es algo así como un trabajo en desarrollo. Conviene que la paciente sea consciente de este hecho para evitar desanimarse si aprecia que el implante adquiere formas poco naturales o equilibradas.

Si la cirugía y el seguimiento se realizan correctamente, son casi inexistentes las probabilidades de que surjan complicaciones, como que el expansor pueda pincharse y deshincharse por accidente o que se infecte el implante.

Una vez finalizado satisfactoriamente el proceso de expansión, hay que dejar pasar unas semanas para que el implante y la piel se asienten, antes de sustituir esa prótesis por una definitiva. Sólo a partir de ese momento se puede realizar una segunda operación para reemplazar el expansor por un implante final y de volumen fijo. En comparación con la primera, esta segunda intervención para colocar el implante definitivo resulta más rápida –dura una o dos horas– y menos dolorosa. Al finalizar la segunda cirugía, que requiere anestesia general, se coloca un drenaje quirúrgico junto al nuevo pecho y un vendaje alrededor del tórax para reducir la inflamación o tumefacción.

Pasadas 24 horas, el cirujano retirará ese vendaje y la paciente podrá ver, por primera vez, el nuevo pecho. Ahí ya apreciará una mejora en la apariencia de la mama, con respecto a la forma y perfil logrados en la primera fase de expansión. Sin embargo, aún falta algo de tiempo para alcanzar el aspecto definitivo del pecho reconstruido. En realidad, el seno necesitará unas semanas para librarse de la hinchazón y que el implante se sitúe de forma más natural y más o menos definitiva. En algunos casos, durante esta segunda operación, se practica alguna de las técnicas quirúrgicas disponibles para que la otra mama sea lo más simétrica posible con la del implante: es decir, elevación, reducción o incluso aumento del pecho sano.

Al igual que sucede con el resto de las técnicas, la paciente puede completar la reconstrucción con la creación del pezón y la areola de 2 a 4 meses después. Por tanto, nos enfrentamos a un proceso de tres

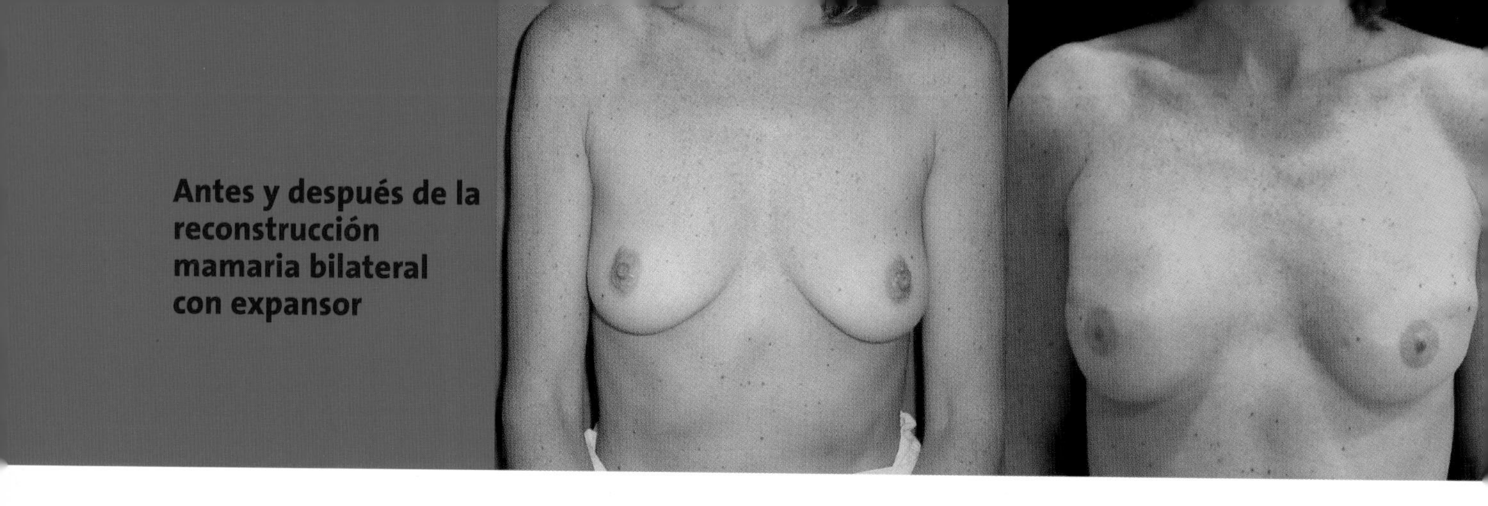

Antes y después de la reconstrucción mamaria bilateral con expansor

pasos o etapas que, según los casos, suele oscilar entre un mínimo de 6 meses y 1 año como máximo.

Ya hemos comentado que muchas mujeres afirman sentirse satisfechas con los implantes, pero también es cierto que quienes no lo están declaran experimentar desde pequeñas incomodidades –firmeza excesiva, sensación de frío, asimetría entre ambos pechos...– hasta molestias considerables que suelen deberse al proceso de cicatrización y que provocan ciertas limitaciones físicas.

De hecho, los implantes con expansores sólo se pueden aplicar en mujeres con la zona pectoral lo suficientemente saludable como para permitir la expansión. De forma específica, la mayoría de los cirujanos coinciden en que los implantes no son la mejor solución para las mujeres que han recibido radioterapia (ver apartado anterior sobre los implantes directos). La radiación reduce la circulación sanguínea y la elasticidad de la piel y de los tejidos subcutáneos, de manera que la piel quizá no se expanda lo suficiente para

¿Cómo paliar las posibles molestias del proceso de expansión?

En ocasiones, el especialista puede considerar oportuno administrar algún tipo de medicación que elimine o reduzca el malestar o, en casos extremos, recomendar algún fisioterapeuta que pueda masajear y relajar los tejidos del pecho. Sin embargo, también puede ayudar el utilizar algunos remedios sencillos como:

→ Aplicar una toalla humedecida con agua muy caliente.
→ Tomar una ducha con agua tibia.
→ Realizar estiramientos para calentar los músculos.
→ Masajear la zona con suavidad, en especial con algún aceite o loción.

Por el contrario, nunca hay que usar mantas o esterillas eléctricas ya que, al estar la zona entumeciday con poca sensibilidad, pueden causar quemaduras.

acomodar el implante, sino que lo oprima y deforme. Por tanto, se suele excluir esta reconstrucción cuando hay daño en la zona por la radioterapia, pobre cicatrización tras la mastectomía o riego sanguíneo insuficiente hacia la piel; y se suele descartar en pacientes obesas, fumadoras, hipertensas, diabéticas, con algún tipo de infección u otros problemas de salud, en especial todos aquellos que perjudiquen la cicatrización o la coagulación sanguínea.

A pesar de esta extensa lista de complicaciones, tal como se ha comentado al inicio de este apartado, la reconstrucción mamaria con expansor ofrece resultados satisfactorios que mejoran la calidad de vida de las pacientes siempre que se haya indicado correctamente y se haya confiado a manos de expertos.

c) Los implantes tipo Becker

Se trata de una técnica que sólo se emplea en un número limitado de pacientes y en entornos donde también están altamente limitados los recursos económicos para las reconstrucciones mamarias. De forma concreta, los implantes tipo Becker son prótesis que permiten cierto grado de expansión de los tejidos del tórax pero que, una vez han logrado el volumen necesario para restaurar la forma de la mama, no se cambian ni sustituyen, sino que se quedan de forma definitiva en la paciente. En otras palabras, esta técnica consiste en colocar un implante que se llena progresivamente, hasta alcanzar el volumen necesario, y que se deja de modo estable y fijo en el tórax.

Un pinchazo indoloro

El implante expansor incorpora una válvula que permite que, con un pinchazo indoloro, se pueda administrar el suero salino que rellena la prótesis.

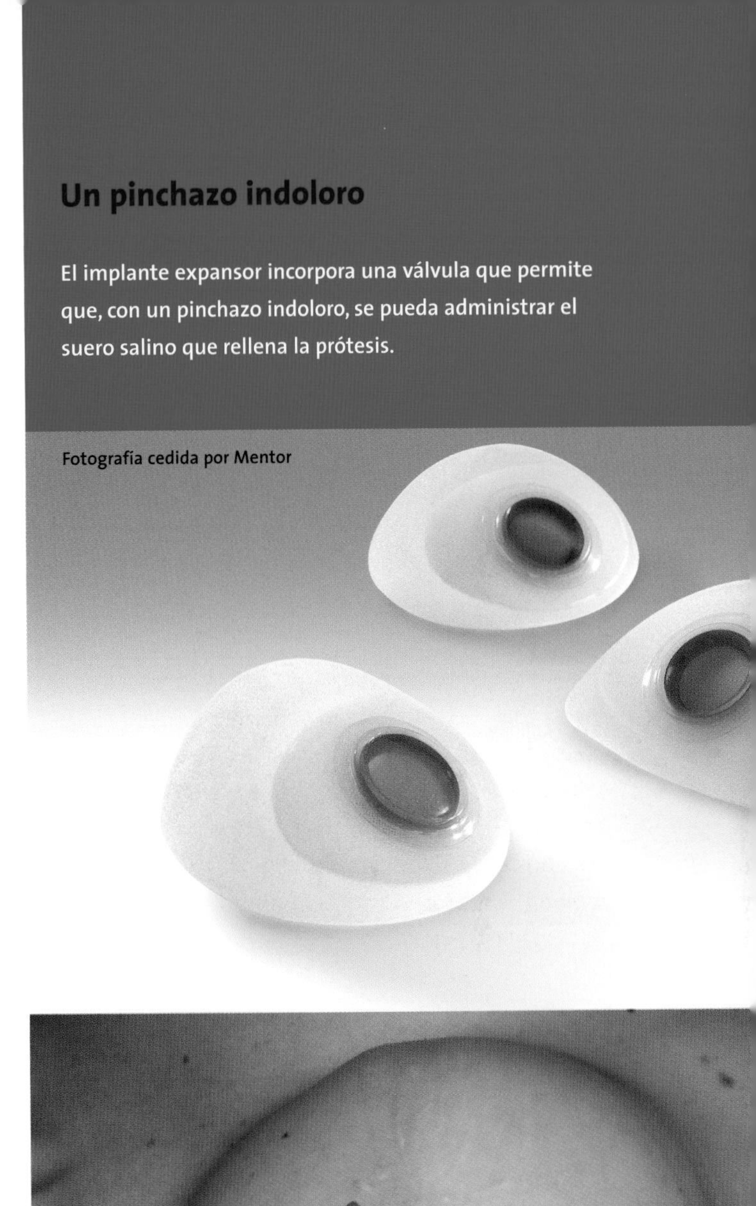

Fotografía cedida por Mentor

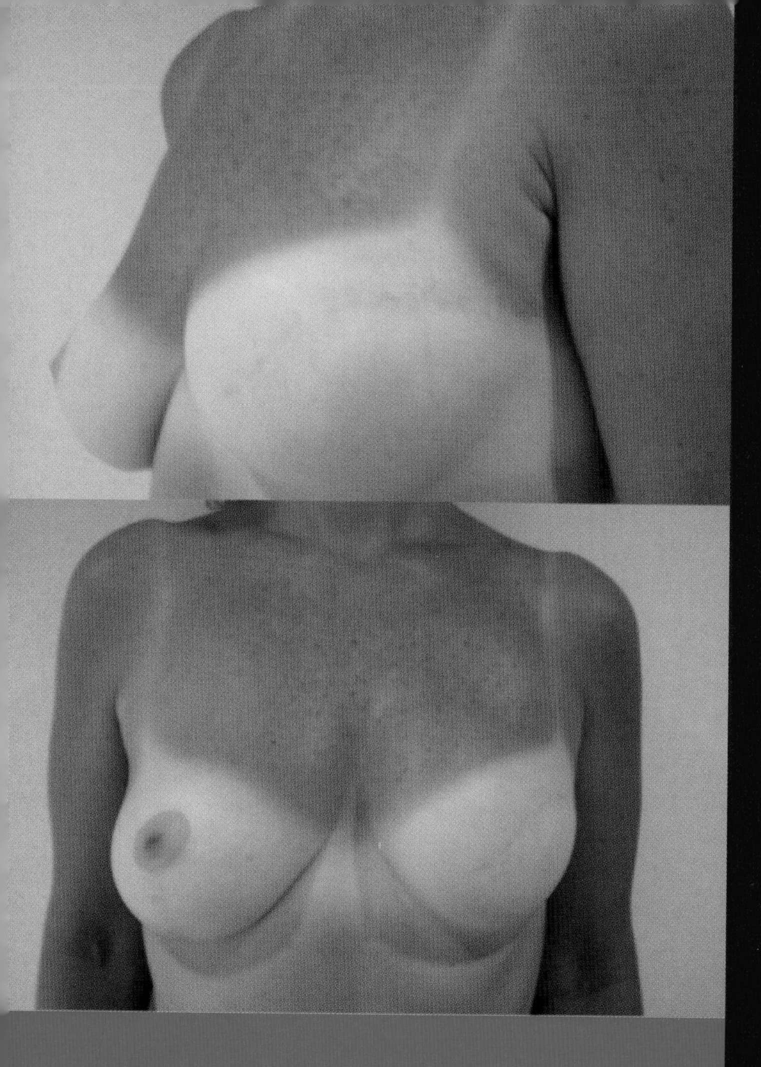

Un proceso que dura semanas

Conviene que la paciente tenga en cuenta que mientras dura la expansión del implante, el pecho es algo así como un trabajo en desarrollo. Por ello, no debe desanimarse si aprecia que el implante adquiere formas poco naturales o equilibradas.

Complicaciones potenciales de las reconstrucciones con implantes

1 → Los implantes pueden no durar eternamente, puede ser necesario reemplazarlos si el desgaste de la cubierta llega a ser excesivo. No existe un tiempo de caducidad determinado, varia en cada caso.

2 → Sustituir el implante significa volver al punto de partida. Algunas mujeres reemplazan el implante por uno nuevo, pero otras acuden a las reconstrucciones con tejido de la propia paciente para evitar complicaciones y sustituciones adicionales.

3 → Los implantes pueden romperse, desinflarse y filtrar el relleno. Esto puede suceder por un traumatismo en el pecho, el envejecimiento del implante o un encapsulamiento severo.

4 → Pueden causar contractura capsular. El implante está recubierto interiormente por un tejido cicatricial que se crea como reacción natural al implante (el tejido cicatricial es una capa de tejido fibroso de aspecto similar al de la piel gruesa y rugosa). Sin embargo, cuando este tejido se tensa puede llegar a oprimir y defomar la prótesis. Esto provoca un tacto poco natural y, en ocasiones, dolor y malestar considerable. A veces, esta contractura capsular se produce meses después de la reconstrucción pero, en otros casos, puede producirse años después. Según los diferentes estudios publicados, este encapsulamiento se da, en diferentes grados, entre un 8 y un 35 por ciento de los casos:

• Grado I: El pecho tiene consistencia blanda normal y una apariencia natural.

• Grado II: El pecho está algo firme pero tiene una apariencia normal.
• Grado III: El pecho está firme y claramente deformado. Requiere algún tipo de acción médica.
• Grado IV: El pecho está duro, duele y aparece claramente deformado. Requiere algún tipo de intervención quirúrgica.

Aunque los expertos desconocen por qué unas mujeres experimentan contracturas capsulares y otras no, las pacientes que han recibido radioterapia –antes de la reconstrucción con implante– suelen tener entre un 30 y un 40 por ciento más de probabilidades de sufrir este problema. En ocasiones, se puede tratar practicando una capsulectomía o bien una capsulotomía, técnicas que resecan total o parcialmente el tejido cicatricial que rodea al implante. No obstante, este procedimiento puede significar tener que retirar y/o reemplazar el implante y, desfortunadamente, no garantiza que el encapsulamiento reaparezca más adelante.

5 → Incluyen el riesgo de sufrir infecciones y ciertas intolerancias. Los síntomas son inflamación, dolor, fiebre o rojeces en el pecho. Si los antibióticos y el tratamiento farmacológico no eliminan la infección, hay que retirar el implante para tratar correctamente este problema.

6 → Pueden causar hematoma o seroma. En ocasiones los drenajes quirúrgicos no pueden evitar la acumulación de sangre en el pecho (hematoma) o de líquido intercelular (seroma). Si el cuerpo no absorbe esos fluidos, el cirujano debe drenarlos con una aguja o colocar un drenaje temporal en la zona.

7 → El dolor puede permanecer una vez superada la reconstrucción. Una vez colocado el implante definitivo, alguas pacientes pueden seguir experimentando el malestar o las sensaciones dolorosas que tenían durante el proceso de expansión.

8 → En algunos casos puede producirse la extrusión del implante. No es frecuente, pero puede suceder que una parte de la grasa o piel que rodea al implante muera por falta de sangre y eso provoque que la prótesis salga a través de la piel, con la consiguiente contaminación y riesgo de infección.

9 → El nuevo pecho no evoluciona armónicamente con la mama sana. La edad y la gravedad causan cierta flaccidez y pérdida de elasticidad en la piel, que en la mama natural se traducen en una cierta caída y en una modificación de la forma del pecho. Sin embargo, estos cambios no se producen en el implante y, por tanto, difícilmente perdura en el tiempo la simetría entre ambos pechos lograda en la intervención.

10 → Pueden presentar imperfecciones estéticas y asimetrías. La piel del pecho puede no recubrir el implante de forma idónea, o puede arrugarse o tensarse en mujeres muy delgadas. Al inicio se pueden producir pequeñas asimetrías con el otro pecho aunque, con frecuencia, pueden convertirse en asimetrías considerables debido a los cambios que cualquier persona experimenta con el paso de los años, como adelgazar o ganar peso. Se trata de problemas que se pueden corregir, pero siempre con una cirugía adicional.

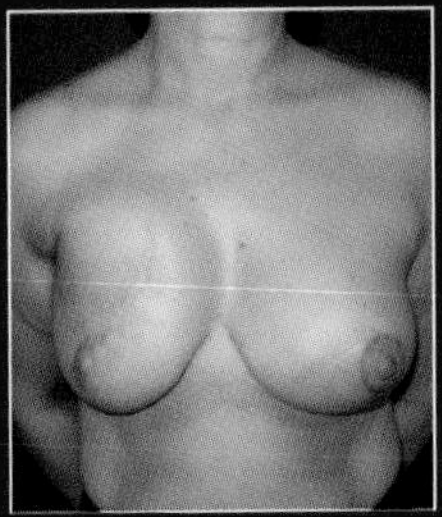

A principios de la década de los noventa, estos implantes se presentaron como una innovación prometedora, ya que evitaban una segunda intervención a las afectadas y, a la vez, suponían un ahorro importante de recursos sanitarios. Desafortunadamente, en la mayoría de los casos, ofrecen resultados estéticos bastante pobres, sobre todo en cuanto a la forma de la mama. Además, al igual que el resto de los implantes, los Becker sufren un desgaste progresivo y corren el riesgo de perder volumen a medida que pierden el relleno de suero fisiológico previamente infiltrado. Y, también como las otras prótesis ya citadas, presentan la limitación de que el pecho con el implante no evoluciona en paralelo al resto del cuerpo femenino. Por último, según estudios de diferentes autores, en los implantes tipo Becker existe un riesgo de contractura muscular ligeramente superior al de los implantes que siguen un proceso de expansión convencional.

Por todos estos motivos, se puede afirmar que se trata de una técnica en desuso, que sólo se indica para algunas pacientes que no pueden beneficiarse de otro tipo de reconstrucciones o en entornos sanitarios con unos recursos económicos dramáticamente limitados.

4.2. Técnicas de reconstrucción con tejidos propios de la paciente

En los últimos años, la cirugía plástica ha avanzado hacia las reconstrucciones de mama fisiológicas o autólogas, es decir, las reconstrucciones que reemplazan el tejido que se ha perdido (la mama) por el tejido natural de la paciente que más se le parezca. Por eso, el primer paso supone buscar y localizar en el cuerpo de la mujer el tejido con mayor similitud al del seno: como ya se ha explicado, la mama se caracteriza por una piel fina cuya pigmentación está determinada por el origen étnico de la mujer y que posee una grasa de una consistencia particular. Como segundo punto clave aparece la cuestión de cómo transportar esos tejidos hasta el tórax, manteniéndolos vivos, para reconstruir la mama.

Los implantes Becker

A pesar de ser una reconstrucción en un solo tiempo, presenta unas limitaciones considerables.

Fotografía cedida por Mentor

En este sentido, las técnicas de reconstrucción con tejidos propios dependen de qué características presentan las posibles zonas donantes de tejidos disponibles en cada paciente y, también, de qué capacidad técnica tenga el cirujano plástico para transferir esos tejidos de la forma más óptima. Por fortuna, en los últimos años ha avanzado enormemente el conocimiento anatómico de los vasos sanguíneos de la piel y se ha producido un gran desarrollo de las técnicas microquirúrgicas. Por supuesto, no todos los cirujanos pueden practicar estas reconstrucciones, sólo aquellos especializados en las citadas habilidades de microcirugía. Pero, como conclusión, todo ello supone que hoy disponemos de técnicas para reconstruir la mama con el tejido más apropiado y minimizar las secuelas quirúrgicas en la paciente.

Si se echa la vista atrás, cuando la cirugía empezó a practicar reconstrucciones del pecho tras la mastectomía, tan sólo se planteaba dar a la mujer algo un poco mejor que una prótesis externa para rellenar el sujetador. En cambio, las técnicas autólogas abren un universo de nuevas posibilidades. Como nota diferencial, no tratan simplemente de rellenar el espacio dejado por la mastectomía, sino de recrear el seno de forma natural y de que la mujer así lo viva en todo momento, vestida o desnuda frente al espejo. La mama reconstruida con tejidos de la paciente se mueve y se siente como la mama original. En muchos casos, con el paso del tiempo, puede incluso recuperar parte de la sensibilidad (sensaciones de presión, temperatura, tacto y dolor), ya que los nervios del tejido utilizado conectan espontáneamente con los nervios del pecho. Cuando se completa definitivamente la reconstrucción, la mama forma parte del cuerpo femenino.

¿De qué zonas del cuerpo es posible extraer tejido para reconstruir la mama? Como hemos comentado, el cirujano plástico busca zonas que permitan extraer una porción de piel y de grasa parecida en aspecto y en volumen al seno perdido en la mastectomía. Es decir, una isla de piel de unas dimensiones y con un volumen de grasa suficiente como para permitir recrear el nuevo pecho. Estas dimensiones dependen, obviamente, de la fisonomía de cada una de las pacientes.

Una vez el cirujano ha decidido qué tejido es el mejor para reconstruir la mama, ¿cómo se logra que el nuevo tejido tenga riego sanguíneo suficiente? Existen tres formas diferentes para que el tejido reciba sangre de manera adecuada para poder estar vivo:

→ Los colgajos pediculados consisten en una porción de tejido formado por piel y grasa con músculo procedente de las áreas anatómicas cercanas al tórax (abdomen y espalda). Esta porción de tejido recibe el aporte de sangre a través de un músculo que se desplaza desde su localización natural hasta el tórax. Su gran desventaja es que sacrifica un músculo sano para proveer de circulación a la mama reconstruida: es decir, el músculo pierde su función. Ésta es el método que emplea la técnica reconstructiva del TRAM pediculado que se describe después.

→ Los colgajos libres musculocutáneos consisten en una porción de tejido que, en este caso, recibe el aporte sanguíneo a través de un fragmento de músculo que, a su vez, incluye una arteria y una vena. Todo ello se transplantará a la zona torácica mediante microcirugía. Se trata de una técnica francamente en desuso, ya que comporta un sacrificio muscular considerable y, a la vez, resulta compleja quirúrgicamente porque requiere microcirugía.

Zonas donantes

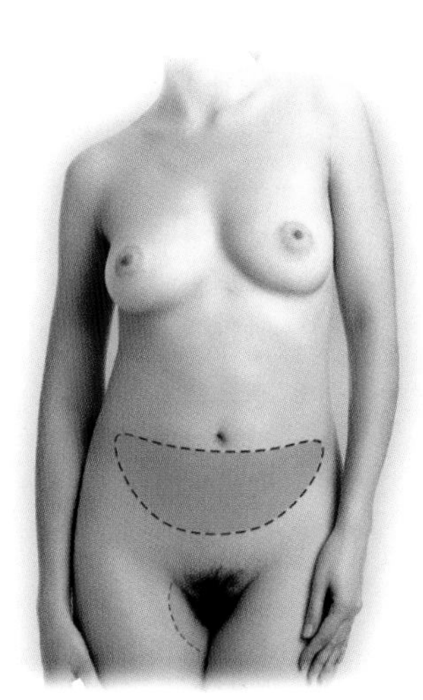

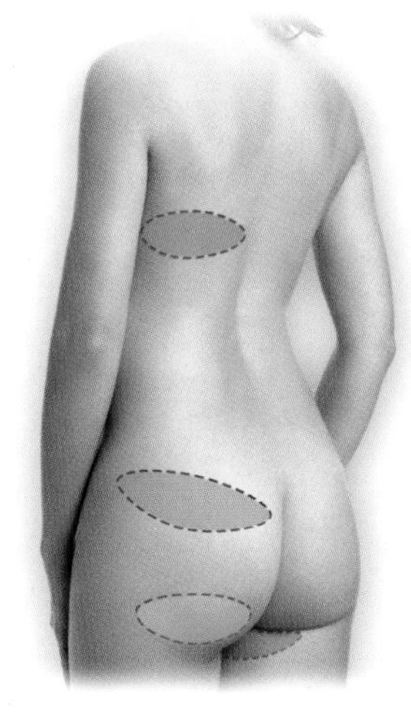

En estas zonas podemos encontrar tejidos adecuados para recrear el nuevo pecho.

→ Los colgajos de perforantes se conocen como el "*gold standard*" (el estándar o patrón de oro) del transplante de tejidos, ya que sólo usan piel y grasa y no requieren sacrificar ningún músculo. Los perforantes, que son las arterias y las venas que alimentan el tejido donante, se reconectan a los vasos sanguíneos del tórax.

En resumen, la reconstrucción mamaria autóloga se inicia a finales de los años setenta, pero entonces requería realizar sacrificios importantes en algunos músculos para poder llevar el tejido hasta el tórax (colgajos pediculados y colgajos libres). Estos inconvenientes se han reducido considerablemente durante la década de los noventa, cuando han aparecido las técnicas microquirúrgicas de perforantes que han minimizado o eliminado las secuelas funcionales que estas pacientes sufrían debido al citado sacrificio de parte de la musculatura.

Por esa razón, estas técnicas suponen un gran avance para la mujer. Prácticamente cualquier paciente puede encontrar una técnica autóloga que se adapte a sus necesidades, también aquellas que se han sometido a radioterapia o a mastectomías radicales con pérdida de la musculatura torácica.

Tal como se ha insistido en capítulos anteriores, la paciente necesita conocer todas estas opciones, así como sus desventajas y limitaciones, para elegir la técnica y el cirujano plástico que prefiera. Como siempre, la recomendación es decantarse por un cirujano experimentado en este campo.

Las zonas donantes de tejido más habituales para reconstruir la propia mama son:

1 → El abdomen: es la primera opción en la mayoría de las pacientes, ya que es el tejido de tono y textura más similares a los de la mama.
2 → La parte dorsal de la espalda.
3 → La zona glútea.
4 → La cara interna de los muslos.

¿Las técnicas autólogas son más o menos complejas que las reconstrucciones con implantes? Si se comparan con los implantes, las reconstrucciones con tejido propio resultan, de entrada, más complejas. Como se ha comentado, al principio eran complejas tanto para el equipo quirúrgico como para la paciente, ya que significaban un sacrificio anatómico. Sin embargo, en la actualidad, únicamente resultan más sofisticadas y laboriosas para el cirujano y su equipo, pues deben emplear técnicas de microcirugía de gran nivel de especialización (sobre todo en los casos de las reconstrucciones DIEP y SIAE, que se detallan en los siguientes puntos). En cambio, suponen menor riesgo para la paciente ya que, ahora, no implican sacrificar ni destruir ningún músculo y, por tanto, tampoco implican una pérdida funcional.

Además, estas técnicas causan menos dolor intraoperatorio y postoperatorio que la cirugía de implantes, puesto que no alteran la anatomía muscular y sólo necesitan extraer piel y grasa de la paciente. Esto supone administrar anestesias que, a pesar de ser de larga duración, son mucho más superficiales. Los procesos y los fármacos empleados por los anestesistas han avanzado enormemente en la última década. Hoy se usan fármacos que se metabolizan con rapidez (actúan inmediatamente y el cuerpo los elimina en poco tiempo) y, por tanto, permiten dormir a la paciente durante mucho tiempo; a la vez que reducen el tiempo de recuperación de la paciente y el riesgo postoperatorio. En palabras más sencillas, la anestesia se puede administrar hoy en dosis o fracciones muy controladas y, por eso, cuando la paciente se despierta tras la operación, lo hace en buenas condiciones físicas y con rapidez.

De hecho, aunque las primeras horas tras la cirugía pueden resultar más intensas que en las reconstrucciones con implantes, el proceso global se completa antes, se evitan los problemas derivados de los implantes como los encapsulamientos o las asimetrías y, como veremos, da unos resultados funcionales y estéticos muy superiores.

¿Qué aspecto tiene la mama reconstruida con tejidos propios? Si la intervención se ha desarrollado adecuadamente, la paciente puede hacerse una idea clara de cómo será su pecho poco después de la cirugía: lo que se ve entonces es prácticamente lo que

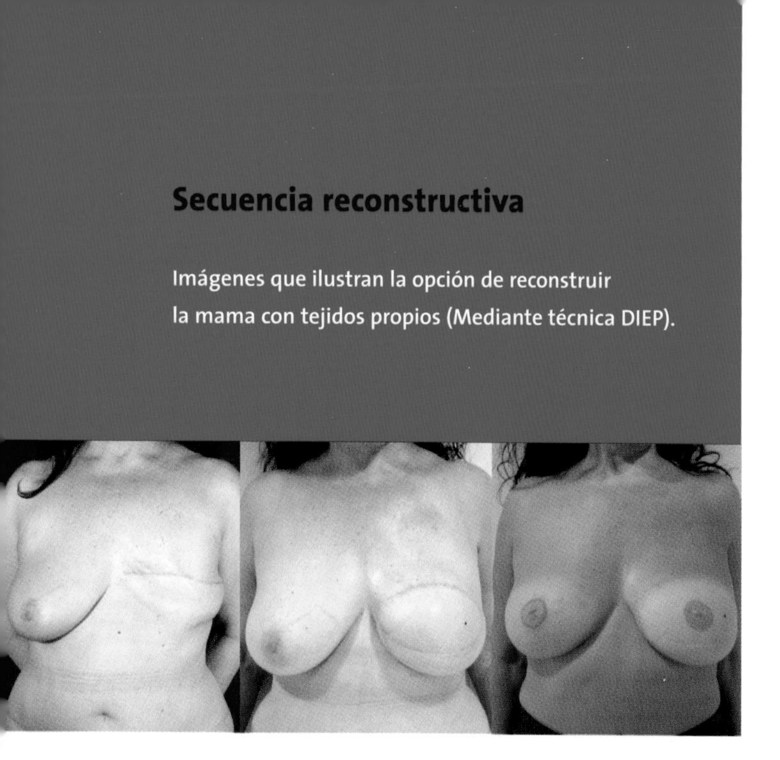

Secuencia reconstructiva

Imágenes que ilustran la opción de reconstruir la mama con tejidos propios (Mediante técnica DIEP).

será. Tan sólo hay que esperar unos pocos meses para que el pecho reconstruido acabe de ajustarse por sí mismo –una media de tres o cuatro meses– y, entonces, ya se puede finalizar la reconstrucción con la creación del pezón y la areola.

Algunas mujeres precisan de pequeños retoques para optimizar el resultado final de la reconstrucción mamaria. Para ellas existen diferentes técnicas como: rellenar algunas áreas de la mama con inyecciones de grasa rica en células madre, extraída de las caderas, muslos u otras zonas; mejorar la proyección del pecho; suavizar las cicatrices mediante tratamientos con láser; o incluso mejorar la zona donante con una liposucción extra o una revisión de las cicatrices.

En todos los casos se trata de cirugías de como máximo una hora de duración, que se pueden calificar casi como artísticas. En las manos del cirujano plástico idóneo, se pueden resolver con gran facilidad estos problemas estéticos e, incluso, transformar resultados más o menos mediocres en grandes resultados. La experiencia señala que la paciente suele ver altamente mejorado su grado de satisfacción personal.

Después de esta introducción a las principales aportaciones de las reconstrucciones mamarias con tejido propio, en las siguientes páginas hablaremos justamente de cada una de esas técnicas en particular: el TRAM (*Transverse Rectus Abdominis Myocutaneous*), el antecedente de las técnicas más avanzadas y actuales que son el DIEP (*Deep Inferior Epigastric Perforator*) y el SIEA (*Superficial Inferior Epigastric Artery*); el dorsal ancho extendido (*latissimus dorsi*); los colgajos glúteos; el colgajo de grácilis; así como otras posibilidades menos utilizadas y con resultados menos óptimos.

a) TRAM (*Transverse Rectus Abdominis Myocutaneous*)

La técnica del colgajo TRAM se introdujo en la década de 1980 como la primera técnica que transfería tejidos del abdomen para reconstruir una mama. En su momento supuso un gran paso para mejorar las cirugías reconstructivas de la mama, aunque ha sido superada por las técnicas del DIEP y el SIEA, las más avanzadas en la actualidad y que se explican en las páginas siguientes. A pesar de haber sido aventajada con claridad por otras cirugías, el TRAM sigue siendo utilizado porque es la técnica que conocen buena parte de los cirujanos.

En síntesis, el TRAM consiste en utilizar el exceso de piel y grasa infraumbilical (por debajo del ombligo) junto con el músculo recto abdominal del abdomen. Todo este tejido se traslada al tórax mediante un túnel por debajo de la piel que va desde el abdomen hasta el tórax, por encima de las costillas. El músculo recto del abdomen se secciona en la parte inferior para poder suministrar la sangre necesaria para nutrir a la grasa y la piel del abdomen. Una vez transferido al tórax, este tejido se remodela para crear la nueva mama. A partir de ahí, debido a que se ha seccionado el músculo, se precisará reconstruir la pared abdominal de la paciente mediante una malla sintética de refuerzo. A pesar de ello, la pérdida muscular comportará una limitación importante para la actividad física del abdomen.

Si lo comparamos con otras técnicas, esta cirugía resulta más compleja que la reconstrucción con implantes y más sencilla que las reconstrucciones DIEP o SIEA, ya que el TRAM no requiere aplicar técnicas microquirúrgicas especializadas.

La cirugía TRAM posee algunas ventajas, como el hecho de emplear tejido abdominal, que tiene un

Las ventajas funcionales y estéticas de la reconstrucción con tejidos propios con respecto a los implantes:

→ Constituyen una alternativa para la mujer que no se siente cómoda con implantes, materiales sintéticos, en su organismo.
→ Simplifican el proceso para la paciente, que se despierta después de una única operación con su nuevo pecho casi finalizado (sólo pendiente de crear la areola y el pezón un tiempo después).
→ Evitan algunas de las posibles complicaciones de los implantes, ya que la mama creada con tejido propio ni se rompe, ni genera filtraciones, ni se desinfla, ni tiene que ser sustituida.
→ Facilitan una mayor simetría entre ambos pechos, sin necesidad de alterar la mama sana.
→ También facilitan mantener esa simetría, ya que el pecho reconstruido evoluciona en paralelo al resto del cuerpo. La paciente obtiene un resultado definitivo y permanente.
→ Aumentan la posibilidad de recuperar parte de la sensibilidad en la nueva mama y, por tanto, de experimentar la sensación de tener una mama real.
→ Como resultado indirecto, las pacientes consiguen un vientre más plano (en las reconstrucciones con tejido abdominal).
→ Se puede aplicar también a las pacientes que hayan recibido radioterapia. Es decir, la radioterapia no supone una limitación.

Reconstrucción mamaria mediante TRAM

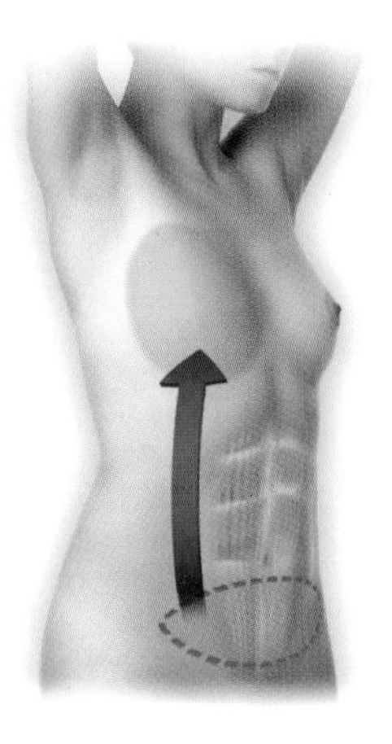

1. Pecho mastectomizado

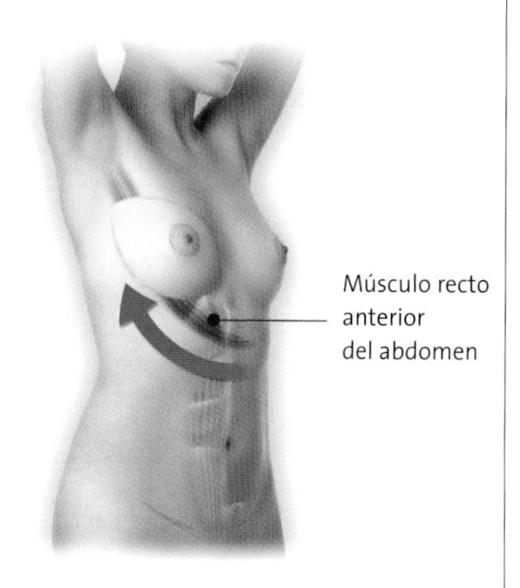

2. Vascularización del tejido abdominal mediante músculo recto anterior del abdomen

tono y textura similar al de los senos (beneficios que también ofrecen el DIEP y el SIEA), pero también presenta algunos inconvenientes de consideración.

→ Para empezar, es una cirugía que sólo puede practicarse una vez en la vida y que excluye a las mujeres que se hayan sometido anteriormente a una cirugía abdominal que haya afectado al músculo recto abdominal.

→ Además, la recuperación resulta bastante dura, dolorosa e incómoda, en especial debido a que implica perder uno de los músculos abdominales más importantes. Al inicio, esta pérdida limitará numerosos movimientos de la paciente –los más habituales– como sentarse, ponerse de pie, inclinarse o salir de la cama; tendrá sensación de tirantez en el abdomen y el entumecimiento alrededor de la cicatriz durante varios meses después de la operación, hasta que los nervios de la zona se regeneren; así como una fuerte sensación de cansancio.

Poco a poco, a medida que la incisión abdominal empieza a sanar, la paciente podrá empezar a levantarse de la cama sin ayuda y dar pequeños paseos, hasta ir aumentando progresivamente, y con paciencia, su movilidad. Unas 6 semanas es el período habitual necesario para asumir de nuevo las actividades habituales, aunque el cansancio puede persistir durante más tiempo. Como resultado del sacrificio muscular tan importante que precisa el TRAM, se produce como secuela permanente la debilidad de la pared abdominal, lo que conlleva un riesgo considerable de padecer hernias. En este sentido, al perder funcionalidad en el músculo recto abdominal, la paciente verá limitada la práctica de deportes como el esquí, la natación o la gimnasia.

¿Pero qué apariencia tendrá la mama reconstruida? La paciente no debe fiarse del aspecto de su nuevo seno tras la cirugía TRAM, ya que, durante los primeros 2 o 3 meses, permanecerá inflamado y aparentará una talla mayor que la que realmente tendrá al final de la recuperación. Progresivamente irá perdiendo volumen hasta equilibrarse con la forma y tamaño del otro pecho. En el llamado "surco intermamario", donde se une el tórax con el abdomen, se puede presentar un cierto abultamiento, que se corresponde con el músculo que se ha "tunelizado" bajo la piel.

Al igual que el resto de las cirugías abdominales, el TRAM deja una cicatriz en la zona suprapúbica (por encima del pubis), que cubrirá la mayor parte de la ropa interior y de baño, así como otra fina cicatriz alrededor del ombligo. Conviene recordar que las incisiones que ha producido la mastectomía son las mismas que el cirujano emplea para reconstruir la mama. En el caso de las mastectomías con una reconstrucción mamaria inmediata, las cicatrices resultantes vienen determinadas por el tipo de incisiones: si se puede realizar una mastectomía ahorradora de piel, se reducirán las cicatrices a una pequeña isla de piel situada en el nivel del complejo areola-pezón. Las cosas son diferentes cuando se trata de una reconstrucción TRAM diferida, es decir cuando se realiza algún tiempo después de la mastectomía. En el TRAM diferido, la cicatriz suele ser mayor y tiene una forma elíptica alrededor del pecho. Se trata de cicatrices permanentes pero que se atenúan con el paso del tiempo.

> Por eso, durante las primeras semanas y meses después de haberse realizado el TRAM, la paciente tendrá que dormir boca arriba, comer de forma poco copiosa, evitar la cafeína, vestir sin sujetador de aro y abstenerse de realizar esfuerzos importantes.

Por otro lado, un número considerable de pacientes se enfrentarán a limitaciones importantes de la movilidad en la zona del abdomen, como la imposibilidad de levantarse de la cama sin ayuda o de practicar ciertos deportes. También puede generar complicaciones de tipo menor, en especial la cicatrización lenta, los seromas abdominales y algunos pequeños hematomas. Finalmente, en el TRAM pediculado resulta menos fiable el aporte de sangre a la piel y la grasa del abdomen, ya que procede de los vasos sanguíneos superiores del abdomen (que son los vasos secundarios, y no los principales, de esta zona).

Posteriormente, la reconstrucción del colgajo TRAM evolucionó de modo que hoy resulta posible usar esta técnica sin tener que sacrificar completamente el músculo abdominal citado. Se trata de la reconstrucción TRAM libre, en la que el tejido abdominal, con sus vasos circulatorios y una pequeña parte del músculo (aquí radica la diferencia), se trasplantan en la zona de la mastectomía mediante microcirugía. También se distingue porque utiliza los vasos sanguíneos del bajo abdomen, los cuales garantizan un riego sanguíneo más robusto hacia el nuevo pecho.

Estos cambios y mejoras implican utilizar técnicas microquirúrgicas en las reconstrucciones con colgajos TRAM libres, de manera que la operación suele ser más compleja y larga. Sin embargo, la recuperación de la paciente resulta algo menos dolorosa que en el TRAM clásico u original. Además, se evitan algunas posibles complicaciones postoperatorias ya que, al conservar la mayoría del músculo, existe menos riesgo de padecer debilidad abdominal y de que surjan hernias. A pesar de ello, como el músculo recto abdominal es un músculo longitudinal, cuando se sacrifica una porción de él también pierde parte de su función.

En la actualidad, en los países del primer mundo, donde debería contarse con los recursos sanitarios necesarios para atender correctamente a todas las pacientes, no hay motivo para seguir practicando la reconstrucción mamaria con la técnica TRAM de forma rutinaria. Deja secuelas importantes en las pacientes y existen técnicas menos lesivas como el DIEP o el SIEA.

Reconstrucción con colgajo TRAM	
Cirugía	3-5 horas
Hospitalización	4-8 días
Actividad diaria habitual	4-8 semanas
Deportes y actividad enérgica	4-6 meses
Crear el pezón y la areola	4-6 meses

b) DIEP *(Deep Inferior Epigastric Perforator)*

Desde su aparición en 1994, la técnica de reconstrucción mamaria DIEP –al igual que el SIEA– funciona con un enfoque diferente a la del colgajo TRAM. En cierto modo, el DIEP se pregunta: ¿por qué sacrificar total o parcialmente un músculo abdominal de la paciente, perfectamente sano, si no resulta necesario? Por eso, porque no sacrifica ningún músculo y porque utiliza técnicas microquirúrgicas sofisticadas, la reconstrucción mediante DIEP supera con creces los resultados del TRAM.

De hecho, el DIEP supone un gran avance para la mujer que ha pasado por un cáncer de mama y una mastectomía. Un avance no sólo estético, sino también médico, ya que, entre otras razones, sólo excluye a las mujeres que carecen de suficiente tejido graso en el abdomen o que hayan sufrido daño en los vasos sanguíneos de esa zona como consecuencia de una intervención anterior (algo poco probable porque la mayoría de las cirugías que afectan al abdomen –como la apendicitis, la extirpación de la vesícula biliar o la histerectomía– no tienen por qué comprometer la vascularización de la paciente).

En concreto, el DIEP consiste en aprovechar tan sólo el exceso de piel y grasa del abdomen (por lo que conserva intacta toda la musculatura) y transplantar esa piel y grasa al tórax, junto a las pequeñísimas arterias y venas que alimentan el tejido, para reconstruir una mama mediante microcirugía.

En todo caso, el DIEP necesita de un equipo con gran habilidad y experiencia en la microcirugía, ya que esta reconstrucción mamaria implica utilizar vasos sanguíneos muy pequeños y preserva la integridad anatómica del abdomen. En definitiva, para practicar reconstrucciones DIEP, se requiere superar un proceso de aprendizaje largo y exigente, algo que limita el número de cirujanos que pueden calificarse de expertos en este campo.

En este sentido, me supone un orgullo haber contribuido a simplificar la cirugía DIEP con una técnica para estudiar las arterias y venas perforantes antes de la operación, el denominado "mapeo de perforantes mediante el TAC de multidetectores": este estudio preoperatorio reduce el tiempo que dura la intervención DIEP y minimiza la posibilidad de que surjan complicaciones.

En el año 2003, comencé a aplicar en Barcelona este tipo de escáner que permite visualizar los vasos sanguíneos perforantes para así determinar con exactitud cuál es el vaso más indicado en cada cirugía y paciente. En la actualidad, pocos años después, esta técnica se utiliza ya en todo el mundo y, en el XII Curso Internacional de Perforantes (Coimbatore, India, 2008), el padre de la reconstrucción mamaria DIEP, Robert Allen, afirmó: "Hoy en día no puedo operar un DIEP sin el estudio del TAC que desarrolló el doctor Masià".

Una vez realizado el estudio preoperatorio de la paciente y localizado el mejor vaso sanguíneo abdominal (mediante el citado escáner de multidetectores), el cirujano plástico procede a operar. En esta intervención, que dura una media aproximada de 5 o 6 horas, se extrae la piel y grasa del abdomen junto con una arteria y una vena (las llamadas "perforantes"), que se liberan a través del músculo recto abdominal. En todo momento se respeta la integridad del músculo, así como los nervios que lo hacen funcionar. Después, todo este tejido se transplanta al tórax donde, con la ayuda de un microscopio, se unen la arteria y la vena abdominales a una arteria y una vena del tórax (a los vasos mamarios internos). De manera simultánea, se remodela el tejido para crear la nueva mama y se cierra el abdomen del mismo modo que se haría en una operación estética en la

Reconstrucción mamaria mediante DIEP

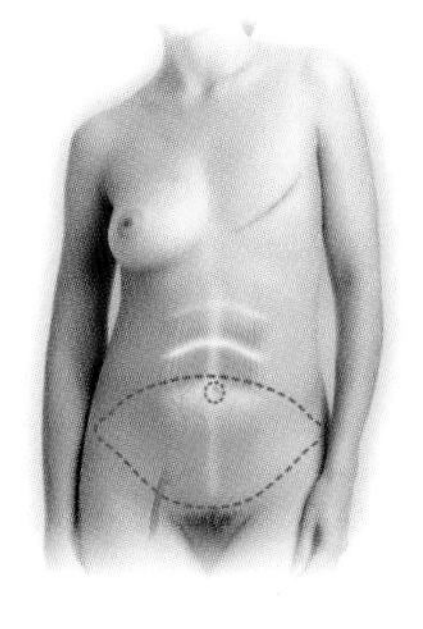

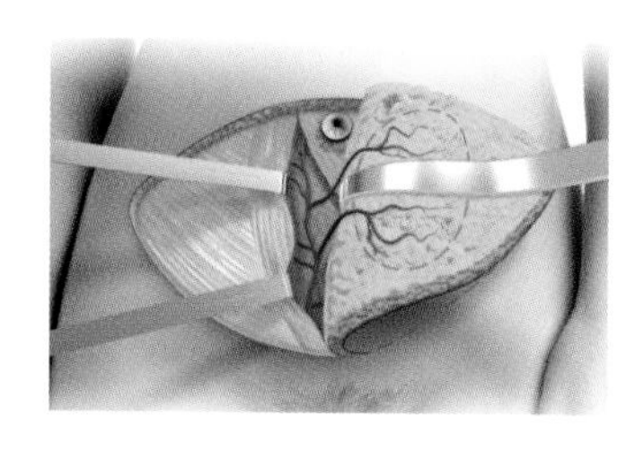

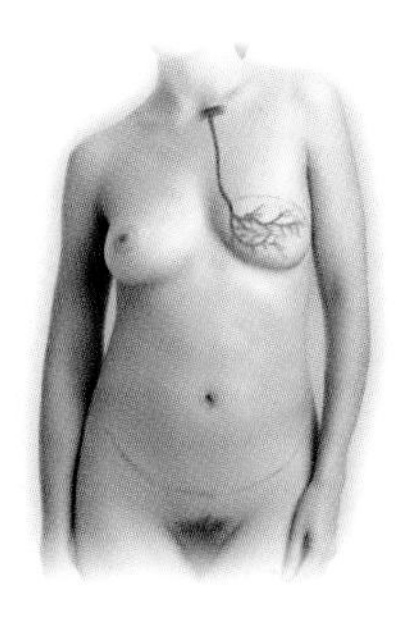

Área abdominal a transferir	Detalle de las perforantes abdominales	Tejido abdominal trasplantado microquirúrgicamente a nivel del tórax	Reconstruccióm mamaria finalizada

barriga. Así se consigue una reconstrucción mamaria natural y, a la vez, una mejora estética del abdomen.

Por eso, el DIEP constituye una cirugía mucho menos invasiva y ofrece grandes ventajas para las pacientes, no sólo con respecto al TRAM, sino también con respecto a la reconstrucción mamaria mediante implantes. Entre otras ventajas:

1→ El DIEP facilita una recuperación más breve y menos dolorosa.

2→ Mantiene la funcionalidad del músculo y evita muchas otras posibles complicaciones, como el riesgo de padecer hernias que no llega ni al 1 por ciento con esta técnica.

3→ Ofrece alternativas para las mujeres delgadas que tienen poca grasa abdominal para reconstruir la mama. En estas pacientes se puede trabajar con la técnica del DIEP ampliado, que utiliza tejidos de ambos lados del abdomen y que los conecta microquirúrgicamente para formar un único tejido vascularizado.

4→ Se puede aplicar a las mujeres que no pueden recurrir al TRAM porque se les había practicado alguna cirugía abdominal previa o porque presentaban problemas circulatorios, ya que gracias a la citada técnica de estudio preoperatorio mediante TAC de multidetectores se puede saber con exactitud qué vaso sanguíneo es el que nutre el abdomen, a pesar de las múltiples cicatrices o cambios que se hayan realizado en cirugías anteriores.

5→ Al crear la mama a partir de tejidos propios, ofrece el movimiento y las sensaciones del seno natural. De hecho, la nueva mama evolucionará simétricamente en forma, peso, volumen y edad con respecto al otro pecho.

6→ Constituye una técnica recomendable para la mujer que espera quedar embarazada en el futuro, puesto que respeta por completo la musculatura del abdomen y, por tanto, permite el desarrollo de la gestación con total normalidad. Estas pacientes deben olvidarse de las reconstrucciones TRAM y optar directamente por el DIEP, el SIEA (si procede) o las reconstrucciones que trabajan con tejidos que proceden de otras zonas de la paciente (no del abdomen).

Como se ha comentado anteriormente, todos estos beneficios del DIEP proceden de trabajar con una cirugía reconstructiva altamente especializada, que no todos los cirujanos plásticos pueden practicar, ya que se precisa de amplia experiencia en reconstrucción oncológica y constante formación microquirúrgica.

Además de reconstruir el pecho de una forma muy natural, el DIEP presenta otro aliciente añadido, como es el hecho de mejorar el contorno abdominal de las pacientes. Con frecuencia, la afectada sale de la cirugía DIEP con la mama reconstruida y también un estómago más plano, casi como si se le hubiera practicado una abdominoplastia estética (la operación que reduce el volumen del vientre). Supone un beneficio suplementario que, en algunos casos, puede ayudar a elevar la autoestima corporal de la mujer. A partir de aquí habrá que esperar un tiempo prudencial, unos 4 o 6 meses, hasta que desaparezca la inflamación del tejido mamario por completo, para recrear el pezón y la areola en el nuevo pecho mediante técnicas sencillas, con anestesia local y sin necesidad de ingreso hospitalario (ver el punto 6 de este mismo apartado).

En el octavo apartado, sobre preguntas y respuestas, se pueden consultar más detalles sobre lo que implica la reconstrucción mamaria DIEP para la paciente, tanto antes de la operación como después de ella. Uno de estos aspectos es la influencia del tabaco en las mujeres que se enfrentan a una

Estudio mediante TAC de multidetectores de una perforante abdominal

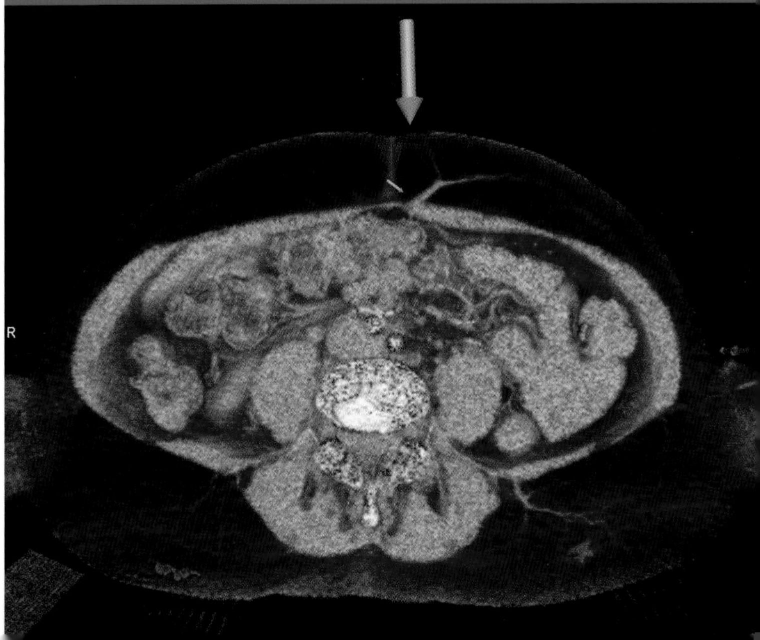

reconstrucción. Tanto con el DIEP como con otras técnicas reconstructivas como el TRAM o el SIEA, fumar se convierte en un factor altamente negativo, ya que estas cirugías se basan en garantizar un riego sanguíneo sano hacia la nueva mama. En cambio, los fumadores presentan mayor riesgo de experimentar vasoespasmo (cierre de las arterias por la acción de la nicotina), coágulos sanguíneos y mala cicatrización, así como otras complicaciones tras la operación.

En este sentido, diferentes estudios científicos señalan que los riesgos se reducen cuando la paciente deja el tabaco al menos seis semanas antes de la cirugía reconstructiva de la mama. Es decir, las fumadoras consiguen eliminar la nicotina de la sangre después de seis semanas de no consumir tabaco.

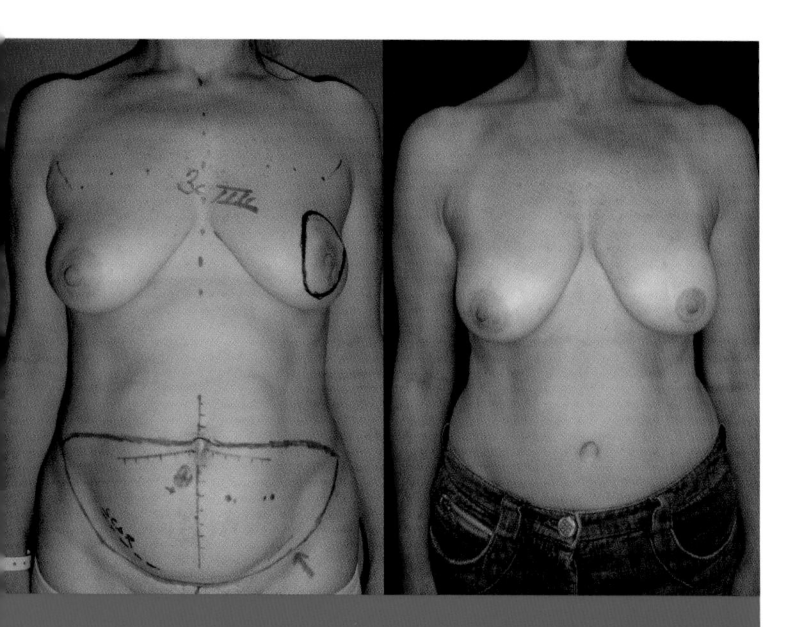

Antes y después

El DIEP permite una reconstrucción del pecho muy natural y mejora el contorno abdominal de las pacientes.

¿Qué riesgos o limitaciones plantea el DIEP? Cualquier cirugía implica la posibilidad de padecer complicaciones, por mucho que se haya planificado de forma excelente y haya sido realizada por un equipo experto. La complicación más terrible es la necrosis o muerte del tejido transplantado, es decir, de la nueva mama. Por fortuna, en el caso de estar en buenas manos, ese riesgo se reduce al 1 por ciento. Puede suceder debido a una trombosis de la arteria o la vena que aportan la sangre al tejido: un pequeño coágulo de sangre ocluye la arteria o la vena e impide que la sangre fluya y que la piel y la grasa transplantadas se

Reconstrucción DIEP

Cirugía	5-6 horas
Hospitalización	3-5 días
Actividad diaria habitual	3-4 semanas
Deportes y actividad enérgica	1-2 meses
Crear el pezón y la areola	4-6 meses

La vanguardia en la reconstrucción mamaria

El DIEP es algo de lo que se podrían beneficiar la mayor parte de las mujeres mastectomizadas si tuvieran acceso a la información adecuada y a los cirujanos plásticos especializados capaces de realizar este sofisticado procedimiento. La mayoría de los profesionales consideran esta técnica y el SIAE como el *Gold Standard* de las reconstrucciones mamarias, es decir la técnica ideal (*Gold Standard* se traduce literalmente como estándar o patrón de oro).

oxigenen. La probabilidad de necrosis de la mama, la complicación más grave del DIEP, es menor del 1 por ciento.

Si esto llega a suceder, casi siempre lo hace en las primeras 48 horas después de la intervención. Por este motivo, un equipo de enfermeras especializadas y médicos vigila cómo evoluciona el tejido cada hora durante los primeros tres días tras la cirugía reconstructiva. En cuanto existe la menor sospecha de una trombosis, se actúa con la máxima celeridad para solventar el problema y asegurar que la nueva mama recibe un aporte de sangre correcto. Pueden darse otras pequeñas complicaciones, fácilmente solucionables bajo anestesia local.

Finalmente, en cuanto a las contraindicaciones absolutas, sólo hay que señalar la abdominoplastia previa. Es decir, la operación para sacar toda la barriga de la paciente, ya sea con fines estéticos o de salud.

c) SIEA *(Superficial Inferior Epigastric Artery)*

En algunas mujeres, el abdomen tiene un doble sistema de aporte sanguíneo. Es decir, a pesar de que, como se ha explicado en el punto anterior, el sistema sanguíneo epigástrico inferior profundo resulta muy importante en cualquier paciente, algunas mujeres presentan un sistema epigástrico superficial capaz de aportar sangre suficiente como para garantizar la supervivencia de la piel y la grasa del abdomen por debajo del ombligo.

Desafortunadamente, este sistema de arterias y venas (que proceden de la región de las ingles, sólo está presente en un 30 por ciento de las mujeres. Cuando se compara el SIEA con el DIEP, ambas cirugías emplean el mismo tejido abdominal, pero el SIEA utiliza unos vasos sanguíneos mucho más superficiales: eso evita tener que diseccionar el músculo y así se simplifica aún más la cirugía.

En otras palabras, como esta arteria (la epigástrica inferior superficial) se sitúa por debajo del tejido graso, justo junto a la piel, se puede acceder fácilmente a ella, sin necesidad de separar las fibras musculares. Estos vasos sanguíneos son los necesarios para alimentar el tejido del abdomen que, luego, se transplantará a la zona pectoral y con el que se recreará la mama mastectomizada. Tal como se ha comentado, el SIEA sólo puede emplearse en esas pacientes cuyos vasos sanguíneos superficiales son suficientemente grandes y fuertes como para dar riego circulatorio al tejido que forma la nueva mama.

Además de este claro beneficio, incluye los ya mencionados en el DIEP, como una recuperación menos extensa y dolorosa (incluso el postoperatorio se acorta un día con respecto al del DIEP), una mama de aspecto y sensación muy natural e, incluso, un vientre más plano. A las dos semanas tras la intervención, la mayoría de las pacientes ya pueden reemprender un tipo de vida completamente normal.

Reconstrucción SIEA	
Cirugía	5 horas
Hospitalización	3-5 días
Actividad diaria habitual	2-3 semanas
Deportes y actividad enérgica	1 mes
Crear el pezón y la areola	4-6 meses

También al igual que el DIEP, la extracción del tejido del bajo abdomen deja una fina cicatriz que suele disminuir gradualmente con el paso del tiempo. Por otro lado, como se explica más adelante, cuando las pacientes presentan uno de sus pechos caído o muy voluminoso respecto al otro, se pueden emplear técnicas de simetrización mamaria –para elevar y reducir las mamas–, que se pueden emplear en la misma intervención de reconstrucción. Así la mujer evita tener que pasar dos veces por el quirófano y someterse a anestesia general.

d) Dorsal ancho extendido o ampliado *(Extended latissimus dorsi)*

¿Qué opciones tienen las pacientes que no pueden someterse a una reconstrucción mamaria de máximos

Reconstrucción con colgajo SIEA más mastopexia contralateral

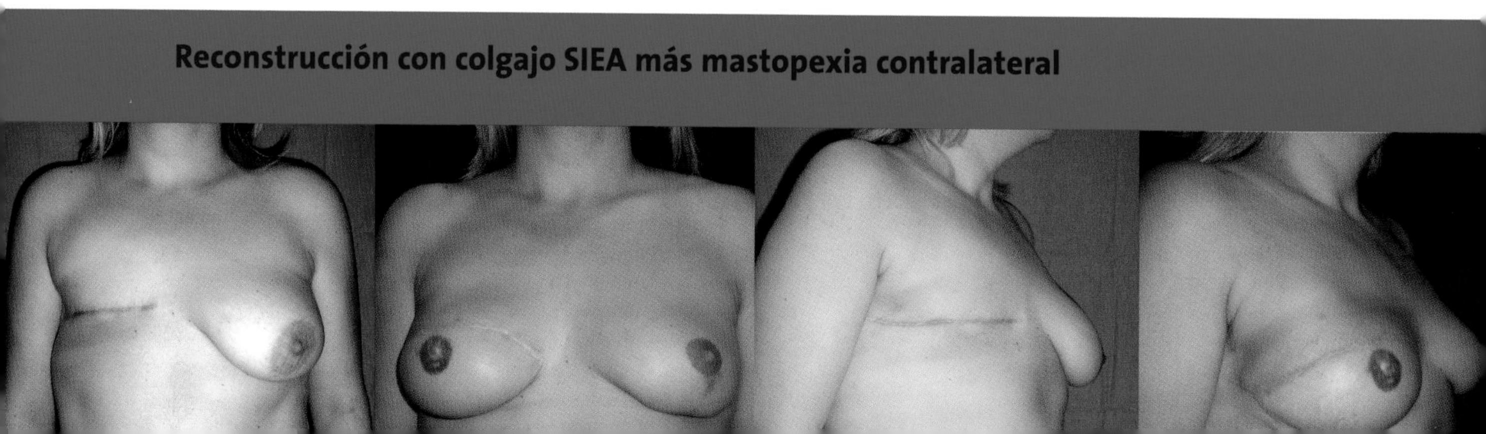

resultados mediante el DIEP o el SIEA –sobre todo porque carecen de suficiente tejido graso en el abdomen– o aquellas que desean evitar una cicatriz a lo largo del abdomen? Probablemente la segunda mejor opción es la reconstrucción del pecho mediante el dorsal ancho extendido o ampliado (*Extended latissimus dorsi*), un músculo largo y plano que se sitúa bajo el hombro, y también mediante grasa de la espalda.

Se trata de una de las técnicas más empleadas en las décadas de los ochenta y noventa, creada originalmente para ayudar a las mujeres que habían sufrido mastectomías radicales. En comparación con el DIEP y otros procedimientos, no resulta especialmente compleja. El tejido empleado suele proporcionar suficiente riego circulatorio y ofrece resultados satisfactorios, aunque debe descartarse en varios tipos de mujeres: aquellas con problemas en la espalda o los hombros; las que se han sometido a alguna cirugía radical previa en la axila; las que han recibido altas dosis de radioterapia en esa zona (algo que podría dificultar la circulación sanguínea hacia el tejido de la nueva mama); y las que practican deportes que necesitan tener la musculatura del hombro y la espalda al cien por cien (como el golf, el tenis, la escalada...).

Una vez en quirófano, esta técnica reconstructiva consiste en extraer una cantidad significativa de piel y grasa de la espalda, así como parte del músculo dorsal ancho, y llevarla hasta el pecho a través de un túnel bajo la piel de la axila para reconstruir una mama sin necesidad de implantes. La operación deja una cicatriz de cierta longitud bajo la paletilla,

Reconstrucción mamaria mediante el dorsal ancho

1. Pecho mastectomizado

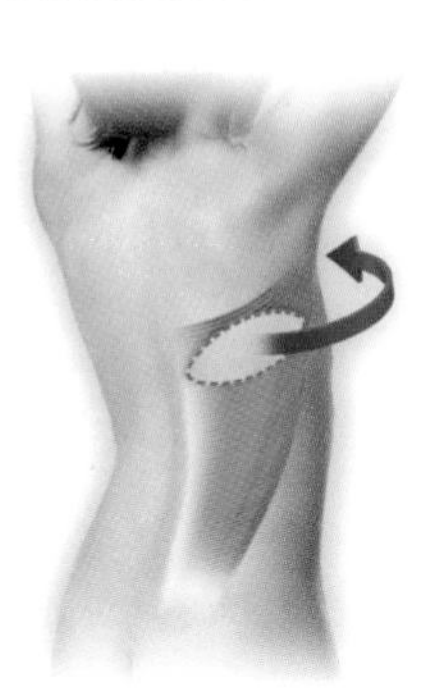

2. Tejido dorsal (piel, grasa y músculo)

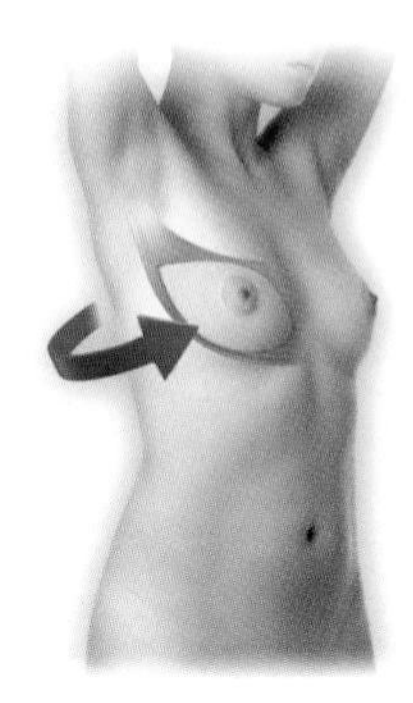

3. Tejido dorsal tunelizado a través de la axila

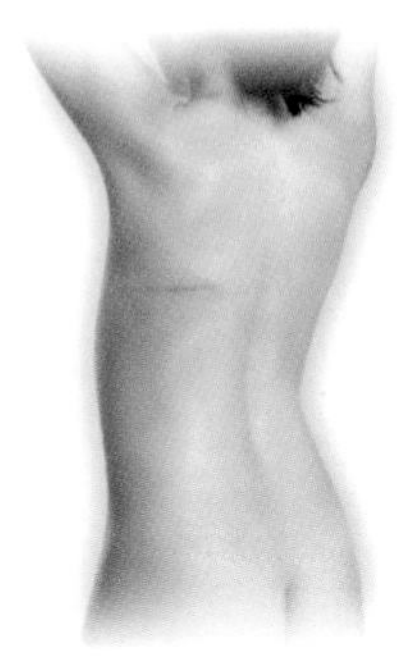

4. Cicatriz zona donante

> En la actualidad, en algunos casos, la reconstrucción mediante el dorsal ancho extendido puede realizarse mediante cirugía endoscópica, que reduce el tamaño de la cicatriz posterior y el dolor en el período postoperatorio.

en la línea del sujetador, que puede permanecer cubierta incluso por la ropa interior o de baño.

Después de la cirugía, la paciente se enfrenta a un proceso de recuperación en el que pueden producirse algunas molestias en la zona superior de la espalda y bajo el brazo durante 5 o 6 semanas, o entumecimiento en la espalda durante varios meses hasta que se regeneran los nervios sensitivos de la zona. Con la reconstrucción del dorsal ancho extendido, el postoperatorio se alarga algo más que con otras técnicas, ya que para evitar el riesgo de seromas en la espalda hay que dejar los drenajes aspirativos entre 7 y 10 días después de la operación.

Como se ha dicho, suele dar buenos resultados pero, a diferencia de los tejidos abdominales, los que proceden de la espalda no presentan ni la misma textura ni el mismo tono de piel que los del pecho

Reconstrucción dorsal ancho extendido	
Cirugía	4-5 horas
Hospitalización	7-10 días
Actividad diaria habitual	3-4 semanas
Deportes y actividad enérgica	5-6 semanas
Crear el pezón y la areola	4-6 meses

Reconstrucción mamaria derecha con dorsal ancho extendido. Antes y después

La reconstrucción del pecho mediante el dorsal ancho extendido es una buena opción para aquellas mujeres que quieran evitar la cicatriz en el abdomen, así como para aquellas que no pueden someterse a una reconstrucción mediante el DIEP o el SIEA.

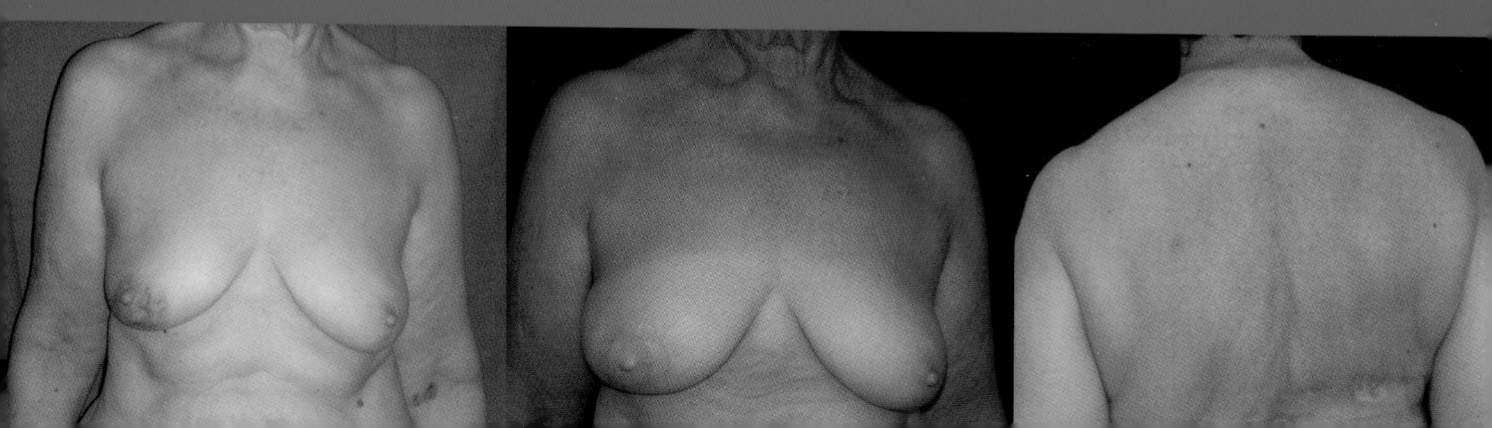

natural. Por eso, después de la reconstrucción, puede darse una diferencia en la apariencia y el tacto entre ambos pechos.

Además, aunque la técnica del dorsal ancho extendido presenta muchas menos complicaciones potenciales que otras reconstrucciones y no restringe ni debilita el movimiento normal tras la recuperación, puede propiciar la formación de seromas en mujeres obesas, la aparición de algunos bultos bajo el brazo (que suelen reducirse con el paso el tiempo) o incluso cierta asimetría en la espalda (que no interfiere con la vida cotidiana pero sí influye al practicar deportes o actividades como el esquí o el tenis).

Por otro lado, es una técnica que sólo suele proporcionar tejido suficiente para crear un pecho no excesivamente grande y que, por eso, suele necesitar con cierta frecuencia de un implante o expansor complementario (ésta es una técnica combinada que se examina en el punto 4.3 y que se denomina precisamente "dorsal ancho con implante").

e) Colgajos glúteos (GAP: SGAP e IGAP)

Se trata de una opción excelente para las mujeres, por ejemplo muy delgadas, que no tienen tejido abdominal suficiente como para donarlo y realizar con él la reconstrucción mamaria, ya sea de un pecho o de ambos. Desarrollada por primera vez en 1993, su peculiaridad reside en emplear como zonas y vasos donantes la parte superior de las nalgas y la arteria glútea superior (*Superior Gluteal Artery Perforator*, SGAP) o bien la parte inferior y la arteria glútea inferior (*Inferior Gluteal Artery Perforator*, IGAP).

La zona glútea escogida consta de piel y grasa subcutánea (bajo la piel) que, junto con la arteria glútea correspondiente, se separan del músculo (que no se sacrifica en ningún caso ni total ni parcialmente) y se implantan en el pecho mediante microcirugía para realizar la reconstrucción de la mama. Como el tejido glúteo tiene una alta proporción de grasa y un buen riego sanguíneo, suele dar excelentes resultados en la reconstrucción: es decir, pechos firmes, de volumen generoso y buena proyección.

El cirujano especializado elige una parte u otra según la morfología y anatomía de las pacientes para aprovechar aquella zona del glúteo donde haya un exceso de grasa utilizable. En el caso de elegir la parte superior de las nalgas (SGAP), se practica una incisión elíptica desde la cadera hasta el centro del glúteo, y desde esa incisión se retira un conjunto de piel y grasa y se separa del músculo la arteria glútea superior. Todo ello se transplanta a la zona torácica para crear la nueva mama. La cicatriz resultante de la cirugía aparecerá en la parte superior de las nalgas y se podrá esconder fácilmente bajo la ropa interior o de baño.

En cambio, cuando el cirujano recurre a la parte inferior de las nalgas (IGAP), una opción menos frecuente, la incisión se realiza en el pliegue situado

Reconstrucción mamaria mediante SGAP

1. Pecho mastectomizado

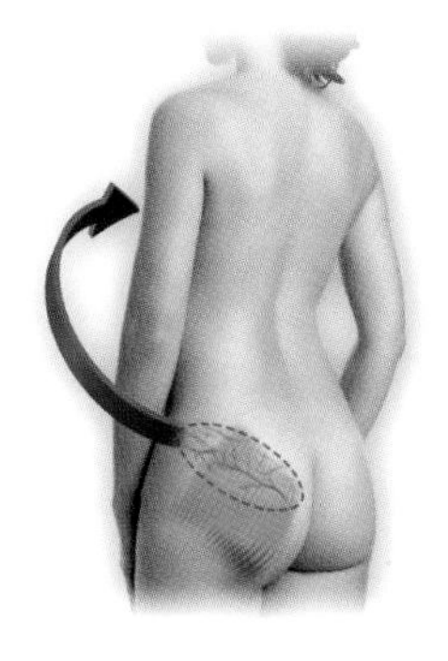

2. Zona glútea a transferir

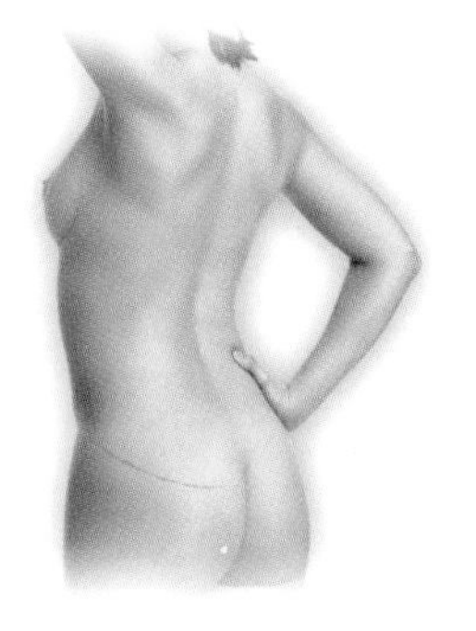

3. Cicatriz zona donante

4. Reconstrucción mamaria

bajo el glúteo. Esto implica que, una vez finalizada la cirugía, la cicatriz quedará casi completamente oculta pero, durante algunos meses, la paciente la notará cada vez que se siente. En este sentido, algunos especialistas rechazan la idoneidad de este método porque presenta el riesgo de afectar al nervio ciático.

Tras la operación, larga y compleja técnicamente, la paciente deberá llevar en el glúteo donante un sostén de tipo deportivo durante al menos 2 semanas, así como una faja quirúrgica –tipo pantalón de ciclista– de 2 a 4 semanas para prevenir la formación de un seroma. Sin embargo, la mayoría de las pacientes ya podrán levantarse y caminar al día siguiente de la cirugía y abandonar el hospital 3 o 4 días después.

De hecho, la recuperación suele ser bastante parecida a la del DIEP. No obstante, resulta normal que se presenten molestias y dolor en la zona glútea, entumecimiento alrededor de la cicatriz (hasta que se regeneren los nervios) y dificultades para adoptar determinadas posturas como sentarse, yacer de espaldas o cruzar las piernas. 4 o 6 meses después, la paciente ya estará suficientemente recuperada como para someterse a la reconstrucción del pezón y la areola.

Reconstrucción mamaria mediante IGAP

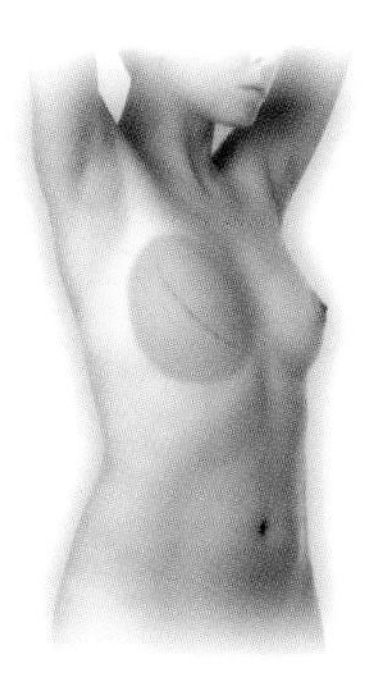

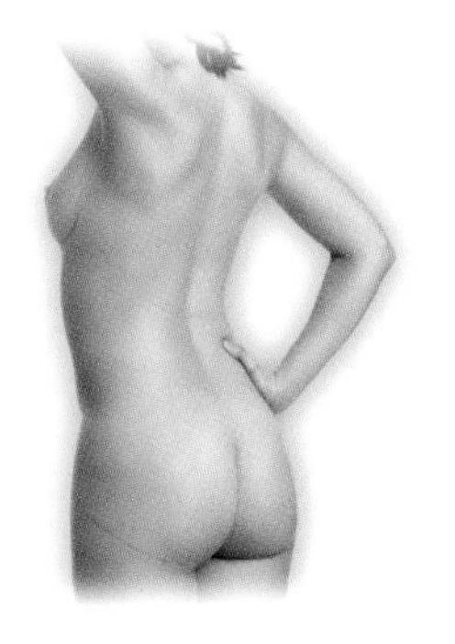

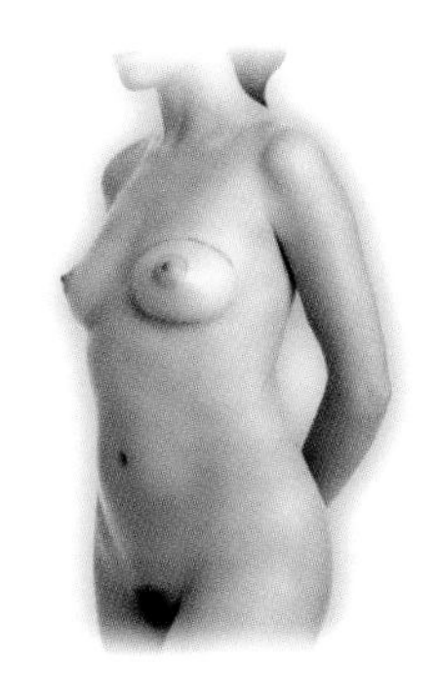

1. Pecho mastectomizado	2. Zona glútea a transferir	3. Cicatriz zona donante	4. Reconstrucción mamaria IGAP

Si la paciente lo desea, se puede someter a una cirugía de revisión que restaure la simetría entre los dos glúteos. En algunas mujeres esto implicará realizar una liposucción del glúteo opuesto y, en otras, redondear el glúteo donante con grasa liposuccionada de las caderas o los muslos.

Finalmente, como en cualquier intervención de microcirugía, existe el riesgo de que se produzcan complicaciones microquirúrgicas durante las primeras 48 horas. Al igual que sucedía con el DIEP, si es un equipo con experiencia el que practica la operación, existe menos del 1 por ciento de probabilidades de sufrir trombosis postoperatoria o necrosis.

Como conclusión, los colgajos glúteos son una buena opción reconstructiva de la mama pero, si se comparan con el DIEP, hay que aceptar que la piel del glúteo es más gruesa que la del abdomen y la grasa subcutánea también resulta más compartimentada,

Reconstrucción colgajos glúteos (GAP)	
Cirugía	6 horas
Hospitalización	3-5 días
Actividad diaria habitual	3-4 semanas
Deportes y actividad enérgica	2-3 meses
Crear el pezón y la areola	4-6 meses

> Con cualquiera de estas dos versiones, la reconstrucción mamaria con colgajos glúteos ofrece una ventaja añadida a las pacientes: mejora la forma y la firmeza de las nalgas. Es algo similar a lo que sucede con las técnicas con tejidos abdominales (TRAM, DIEP, SIEA) para reconstruir el pecho, también regresan a casa con un vientre más plano.

algo que perjudica la similitud de la nueva mama con respecto al pecho natural.

Desde este punto de vista, el de la similitud y naturalidad de la mama, las técnicas del SGAP e IGAP deben considerarse como una segunda opción.

Se requiere especialización

Al igual que sucede con el DIEP y el SIEA, las reconstrucciones con colgajos glúteos o GAP implican un alto nivel de especialización y habilidad técnica, de manera que aún son pocos los cirujanos que pueden practicar esta cirugía para reconstruir la mama. Una vez más hay que insistir en que la paciente elija un cirujano con formación y experiencia en este campo.

f) Colgajo de grácilis

Se trata de una opción menos utilizada que recurre al tejido de la cara interior del muslo (al nivel de la ingle), el llamado "colgajo de grácilis", que incluye músculo, grasa y piel. Es una intervención que sólo permite reconstruir mamas de un volumen pequeño o moderado ya que, en la mayoría de las mujeres, el tejido de esta zona no suele ser demasiado prominente. En un grupo muy concreto de mujeres con cierto exceso de peso y donde la grasa se localiza especialmente en esa zona del muslo, la reconstrucción mediante el colgajo de grácilis sí puede conseguir un beneficio estético importante.

Como secuela deja una cicatriz que suele situarse en el pliegue inguinal (de la ingle) pero, con frecuencia, suele descender más allá de este pliegue y se hace visible cuando la mujer viste ropa interior o de baño.

Esta cirugía dura aproximadamente lo mismo que las otras reconstrucciones mamarias que usan microcirugía, es decir, alrededor de 6 o 7 horas. En cuanto a la recuperación de la paciente, resulta prácticamente igual a la de la reconstrucción a partir de los colgajos glúteos.

g) Otras técnicas

Además de las reconstrucciones ya mencionadas, en algunos casos se recurre a la **técnica del epiplón**, que consiste en emplear grasa intraabdominal (la grasa que rodea a los intestinos) y traspasarla a la zona del tórax mediante un pequeño túnel. Este túnel atraviesa los músculos abdominales y permite mantener la conexión de la nueva mama con las arterias y venas intraabdominales. La técnica del epiplón se utiliza poco debido a las complicaciones postoperatorias que puede acarrear: durante la operación se abre la cavidad abdominal y se corre el riesgo de lesionar el sistema digestivo de la paciente.

Recientemente se ha descubierto que estas células grasas se integran con una gran facilidad en la zona en la que se infiltran debido a su elevada capacidad regeneradora y, a menudo, mejoran el tejido cicatricial que yace por encima del defecto presentado.

Por otro lado, aunque no constituye una técnica de reconstrucción con tejido propio vascularizado en sentido estricto, la **técnica del injerto graso** se ha empezado a emplear de forma más amplia. También denominada ***lipoestructura*** o ***lipofilling***, esta técnica reconstructiva supone trabajar con las células madre o pluripotenciales (en inglés *stem cells*) que existen en la grasa que hay bajo la piel. De hecho, la cirugía plástica utiliza esta técnica desde hace muchos años, pero con resultados discretos y en otras zonas del cuerpo.

Sin embargo, en los últimos cinco años, los avances de la investigación médica han permitido aplicar nuevas técnicas para extraer y preparar la grasa, de manera que la técnica de la lipoestructura o *lipofilling* se utiliza cada vez más para reconstruir la pérdida de volúmenes pequeños y medianos en cualquier área del cuerpo.

Además, este nuevo recurso tiene hoy un protagonismo creciente en la cirugía de mama debido a los motivos que se exponen a continuación. Por un lado, porque ofrece excelentes resultados reconstructivos. Por otro, porque no deja ningún tipo de secuela ya que, como se detalla a continuación, la grasa se introduce a través de una pequeña cánula (de aproximadamente un milimetro de diámetro). Y, por último, los radiólogos con experiencia pueden realizar sin dificultades el seguimiento oncológico de las pacientes. Recientemente se ha descubierto que estas células grasas se integran con una gran facilidad en la zona en la que se infiltran debido a su elevada capacidad regeneradora y, a menudo, mejoran el tejido cicatricial que yace por encima del defecto presentado.

La técnica del injerto graso consiste en extraer la grasa sobrante de algunas zonas del cuerpo femenino, aquellas donde haya un exceso de grasa, para ofrecer a la paciente un beneficio estético (abdomen, trocánter, cara interna de los muslos, flancos...).

Esta extracción se realiza mediante unas cánulas parecidas a las que se emplean en la liposucción, pero en este caso a baja presión para no dañar los adipocitos (células grasas). Una vez extraída dicha grasa, se centrifuga a una velocidad determinada para poder separar la parte noble de la grasa de los restos hemáticos (de sangre): de este modo se concentran las células grasas entre las que también se encuentran abundantes células madre. Cuando ya se ha obtenido esta grasa depurada, se puede infiltrar en la zona del cuerpo que se quiera rellenar o mejorar en volumen. La infiltración se realiza mediante otras cánulas especiales que permiten depositar cilindros de células grasas con una disposición especial que garantiza que esas células están correctamente vascularizadas.

Si la técnica se ejecuta de forma adecuada y por expertos en la materia, se puede lograr que la grasa transferida se integre en la nueva localización y mantenga entre el 70 y el 80 por ciento del volumen. Por eso, hay que explicar a las pacientes que, durante ese proceso, se les infiltrará un poco más del volumen necesario a priori (ya que se reabsorbe entre el 20 y el 30 por ciento de la grasa) o que, en la mayor parte de los casos, se precisará más de una sesión para conseguir el objetivo final. Es decir, no es posible reconstruir volúmenes de pecho importantes en una sola sesión.

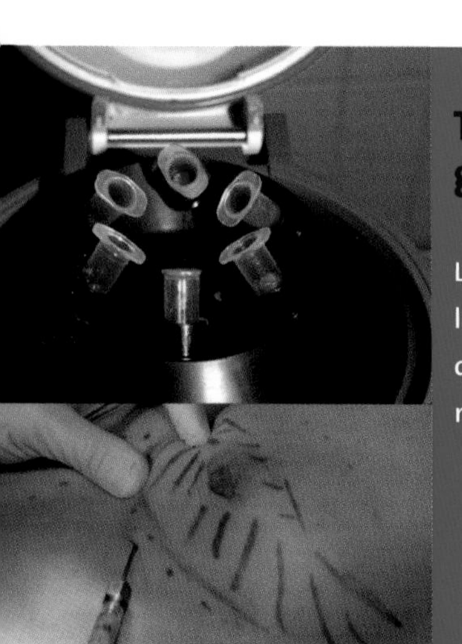

Técnica del injerto graso

La grasa se centrifuga para separar las células grasas de más calidad que posteriormente se infiltran mediante una pequeña aguja.

Como conclusión, resulta extremadamente difícil reconstruir una mama por completo sólo con la técnica del injerto graso. En cambio, esta técnica sí permite conseguir buenos resultados en las reconstrucciones parciales de mama o al complementar otras técnicas reconstructivas (sobre todo las que emplean tejidos propios de la mujer como el DIEP).

4.3. Técnicas de reconstrucción combinadas

Hemos explicado en profundidad las técnicas de reconstrucción mamaria con implantes y aquellas que trabajan a partir de tejidos de la propia paciente. No obstante, también hay que mencionar dos técnicas que combinan los implantes con el uso de tejidos autólogos o propios de la paciente: por un lado, el colgajo toracodorsal con implante y, por otro, la técnica del dorsal ancho con implante.

a) Colgajo toracodorsal con implante

Esta reconstrucción mamaria emplea piel y grasa sobrante de la parte lateral del tórax (por debajo de la axila a la altura que correspondería al surco submamario, es decir, el surco que se forma bajo la mama). Ese tejido se gira hacia arriba y se traslada a la zona del pecho, de manera que reproduce una especie de bolsa o bolsillo que albergará un pequeña prótesis o implante. Esta intervención, que no precisa de microcirugía, suele durar unas 2 horas y requerir uno o dos días de recuperación en la clínica u hospital. Tras un reposo relativo de unos 3 o 4 días, las pacientes pueden reintegrarse a la vida normal, con la secuela de una pequeña cicatriz horizontal a la altura de la línea del sujetador.

Creada en la década de los ochenta, esta técnica reconstructiva destaca por su sencillez y seguridad, aunque ofrece resultados moderados. De hecho, presenta las mismas limitaciones que las reconstrucciones con implante (ver punto 4.1) y, a pesar de que se emplea tejido con vasos sanguíneos propios, no siempre ofrece resultados satisfactorios en las pacientes que se han sometido a radioterapia.

En ocasiones, este tipo de colgajo puede resultar indicado en la cirugía conservadora de mama. Tal como se ha explicado en la primera parte de este libro, algunas pacientes no precisan de una mastectomía para controlar el cáncer de mama, sino sólo de una cirugía conservadora de mama o tumorectomía (con o sin radioterapia). La cirugía conservadora, a pesar de que evita que la mama pase por la mastectomía, puede generar asimetría entre ambos pechos, algo que se puede resolver con una reconstrucción parcial de la mama afectada. En esta reconstrucción parcial, el colgajo toracodorsal (aunque sin implante) puede convertirse en una opción válida para recuperar la simetría entre los pechos cuando el defecto se sitúa o afecta a los cuadrantes laterales de la mama.

Se trata de una técnica poco utilizada en la actualidad debido a los resultados moderados que se obtienen a medio y largo plazo. No obstante, como todas las técnicas reconstructivas, puede resultar indicada en algún caso determinado.

b) Dorsal ancho con implante

En el apartado anterior sobre las reconstrucciones con tejido de la propia paciente, ya hablamos sobre la técnica del dorsal ancho extendido (punto 4.2, d). La diferencia con respecto a la técnica combinada del dorsal ancho con implante es que ésta última no sólo emplea piel y el músculo *latissimus dorsi* de la espalda para formar un nuevo seno, sino que también utiliza un implante o prótesis para conseguir la forma y el volumen necesarios en la mama creada. Se recurre a ella cuando la paciente carece de suficiente tejido graso y piel como para reconstruir la mama satisfactoriamente.

Esta operación suele extenderse a lo largo de unas 4 o 5 horas y exige anestesia general. Ese periodo de ingreso hospitalario oscila entre 5 y 6 días, a los que hay que sumar una semana de reposo antes de que la paciente reanude gradualmente sus actividades. Tal como ya se ha explicado en el citado apartado del dorsal ancho ampliado, tras la cirugía la paciente necesita mantener drenajes aspirativos en la espalda durante al menos unos 10 días para evitar seromas, de manera que deberá salir del hospital y regresar al hogar con dichos drenajes. Transcurridas 3 o 4 semanas, resulta frecuente poder reintegrarse a la vida laboral y a la actividad social.

Entre las limitaciones de esta técnica se cuentan: la cicatriz resultante en la espalda (aunque suele quedar oculta bajo la tira del sostén); el resultado estético menos natural que en otras técnicas, ya que la piel de la espalda suele ser más gruesa y oscura que la de la mama; y las limitaciones que presentan los implantes mamarios, y que ya se han comentado anteriormente (punto 4.1).

Antes y después de reconstrucción con dorsal ancho con implante más elevación contralateral

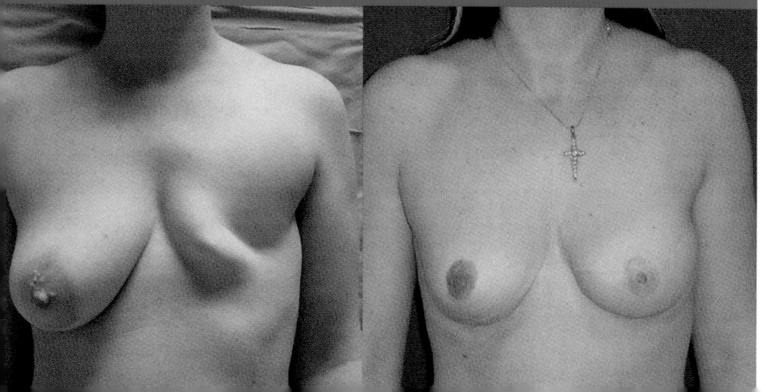

5. Cómo prepararse para la cirugía y el postoperatorio

Una vez se ha decidido qué reconstrucción mamaria resulta más adecuada para la paciente y ésta ha decidido qué cirujano plástico va a realizarla, ya se puede marcar la fecha para la cirugía. Así arranca un período especialmente sensible para la mujer, un tiempo de espera a veces cargado de ansiedad ante la operación y lo que ésta supone. De ahí que pueda aliviar la tensión el conocer qué va a suceder paso a paso en las semanas anteriores a la cirugía y cómo la paciente puede prepararse de forma óptima para ella (un mes antes, dos semanas antes, una semana antes, el día anterior y el mismo día de la intervención).

Un mes antes de la reconstrucción

→ **1. Cuidarse físicamente.** La paciente ya ha gastado buena parte de su fortaleza física en la lucha contra el cáncer de mama, en especial si se ha sometido a radioterapia o quimioterapia. Ahora, la cirugía reconstructiva va a suponer una nueva fuente de cansancio para su cuerpo. Por eso, conviene invertir en todo aquello que ayude al organismo a prepararse para la operación y a recuperarse mejor, como por ejemplo:

- comer de forma equilibrada (proteínas no grasas, frutas y verduras).
- beber agua abundante.
- incrementar el consumo de alimentos con hierro (hígado, legumbres, tofu, carne...) y de zumos

naturales con vitamina C (que ayudan a absorber el hierro).
- evitar las bebidas con cafeína (que bloquean la absorción de hierro) y el alcohol.
- practicar ejercicio moderado media hora al día.
- tomar algún complejo vitamínico con minerales y dormir 8 horas diarias.

En este momento, el anestesista suele recomendar tomar algún tipo de suplemento nutricional, en especial hierro y ácido fólico.

→ **2. Prepararse emocionalmente.** Los ejercicios de relajación, el yoga o los paseos pueden ayudar a rebajar el estrés. Como afirman numerosos estudios, los pacientes que se preparan para la cirugía suelen experimentar menos dolor y recuperarse más rápidamente. Además, hay que recordar que la falta de información puede aumentar la ansiedad, así que se recomienda a la paciente que contacte de nuevo con su cirujano para consultar cualquier duda o para aclarar algún concepto que haya olvidado.

→ **3. Dejar de fumar.** Resulta fundamental abandonar el tabaco como mínimo 6 semanas antes de la reconstrucción y 4 semanas después de ella.

→ **4. Evitar algunos medicamentos.** Algunas medicaciones, como las que contienen aspirina o ibuprofeno, perjudican la coagulación de la sangre y, por tanto, conviene evitarlas ante la perspectiva de cualquier cirugía. También se recomienda interrumpir las terapias hormonales sustitutivas. En todo caso, será el cirujano quien alerte a la paciente de qué productos concretos –aquí se incluyen también algunas vitaminas o los tratamientos naturales– debe abandonar y durante cuánto tiempo debe hacerlo. De hecho, si la paciente consume algún suplemento o producto natural, incluso infusiones o preparados de herbolario, debe consultarlo con el médico para evitar interacciones (como efectos negativos en la coagulación sanguínea). Conviene recordar que muchos medicamentos también provienen de las plantas.

Preguntas básicas

Para comprender a fondo el proceso de la reconstrucción, conviene no olvidarse de las siguientes preguntas básicas para el cirujano:

- → ¿Cuánto durará mi operación?
- → ¿Cuánto tiempo permaneceré hospitalizada?
- → ¿Necesito algún sujetador o camisón especial?
- → ¿Qué medicamentos necesitaré tomar en casa y durante cuánto tiempo?
- → ¿Cuándo podré ducharme o bañarme?
- → ¿Cuándo se podrán retirar los puntos?
- → ¿Qué día debo regresar a la consulta después de haber abandonado el hospital?

Quince días antes de la reconstrucción

→ 1. **Realizar las pruebas preoperatorias.** Además de explicar a la paciente qué procedimientos implica la reconstrucción mamaria elegida, el cirujano ordenará algunas pruebas preliminares como un análisis de sangre completo, una radiografía del tórax, un electrocardiograma y una mamografía de la mama sana. También suele recomendar una visita al anestesista e incluso una última revisión con el oncólogo o senólogo. Por otro lado, en ciertas técnicas –como el DIEP– se realiza un estudio preoperatorio de los vasos sanguíneos del abdomen, que permite optimizar al máximo la cirugía (ver apartado 4.2, b).

→ 2. **Donar sangre.** Aunque es improbable que la reconstrucción mamaria requiera una transfusión de sangre, existe la opción de donar una o dos unidades de la propia sangre sólo como precaución.

→ 3. **Ir de compras.** Conviene preguntar al cirujano si se necesita algún sujetador u otra prenda especial en el hospital y al regresar a casa (sobre todo con cierres delanteros), así como adquirir camisones o pijamas cómodos o, incluso, ropa interior de una o dos tallas más en el caso de las reconstrucciones con tejido abdominal o glúteo.

→ 4. **Aprovisionarse de los medicamentos recetados**. Además de ocuparnos de los medicamentos habituales, la paciente puede solicitar algún tipo de ayuda para conciliar el sueño la noche o noches anteriores a la intervención.

Una semana a la vista

→ 1. **Facilitar la información para la preadmisión hospitalaria.** Algunas clínicas y hospitales prefieren adelantar los datos y documentos necesarios para gestionar la admisión de la paciente.

→ 2. **Intensificar los cuidados.** Nunca está de más darse algún mimo extra en la peluquería o los servicios de estética (como depilación de las zonas afectadas por la cirugía), en las salidas con los amigos, en algún proyecto especial o en alguna compra de último momento. Todo ello puede ayudar a mejorar el estado de ánimo.

→ 3. **Informar al cirujano del estado de salud.** El cirujano debe saber si en esta última semana se ha presentado algún resfriado, infección, fiebre, alergia o cualquier otro problema de salud, por pequeño que parezca. Es importante no correr riesgos innecesarios ante la cirugía.

→ 4. **Acondicionar el hogar.** Es el momento de adquirir el material necesario para realizar las primeras curas en el hogar (gasas, termómetro...), llenar la despensa (por si se carece de ayuda para hacer la compra al regresar al hogar) o limpiar la casa para encontrarse en un ambiente agradable y evitar trabajo extra durante la recuperación.

→ 5. **Prepararse para la recuperación.** Adelantarse a lo que la paciente se enfrentará al salir del hospital

El día antes de la cirugía

No es el día para tomar grandes decisiones ni realizar gestiones importantes pero conviene:

1 → Quitarse el esmalte de uñas y las uñas artificiales.
2 → Relajarse (cada paciente a su modo).
3 → Asearse con jabón bactericida al menos dos días antes de la operación.
4 → Decidir qué vestir el día de ingreso y también el de salida del hospital: ropa amplia y cómoda, que se abotone por delante, y calzado plano.
5 → Preparar una bolsa o maleta para pasar la noche (el neceser con los productos de higiene, la ropa interior indicada, la documentación necesaria, la música preferida...).
6 → Dejar los objetos valiosos en casa.
7 → Llevar una lista de toda la medicación que se usa (aunque el hospital ya se encargará de facilitarla)
8 → Cenar de forma ligera (y no comer ni beber, ni siquiera agua, después de medianoche o del plazo que haya dado el anestesista).
9 → Plantearse el mantener relaciones sexuales si así se desea.

El día de la reconstrucción mamaria

1 → Ducharse y lavarse el pelo.
2 → No maquillarse.
3 → Conversar con la familia o los amigos.
4 → Dejar notas o mensajes a los niños o familiares.
5 → Intentar relajarse.
6 → Mantener una actitud positiva.

ayudará a que se recupere mejor. Esto incluye organizar quién llevará a la paciente a casa y quién la acompañará al menos durante un par de días, preparar el dormitorio con todo lo necesario a mano (medicación, mandos a distancia, libros, pañuelos, teléfono...) o pedir a los amigos que no llamen al principio para facilitar el descanso. Quizá sea aún más importante prepararse internamente y pensar en positivo: aunque la paciente se sienta nerviosa ante la idea de entrar en quirófano, hay que recordar que es una cirugía que contribuirá a mejorar la calidad de vida.

6. La reconstrucción del complejo aerola-pezón

Sea cual sea la técnica de reconstrucción mamaria aplicada, pasados de 4 a 6 meses el nuevo pecho se habrá asentado en su posición final y habrá llegado el momento de crear el pezón y la areola (resulta fundamental esperar a que haya desaparecido cualquier tipo de hinchazón). Muchas pacientes sienten que este proceso es el que pone realmente punto final a la experiencia del cáncer de mama y a la reconstrucción posterior.

Aunque se trata de un paso que también requiere cirugía, es una intervención mucho menor que cualquiera de las anteriores. De hecho, se practica de forma ambulatoria (sin hospitalización) y no suele durar más allá de una hora. Su objetivo es convertir una pequeña porción de la piel del pecho en el pezón y, una vez formado y curado, micropigmentar (tatuar) ese pezón y la zona circundante de un tono más oscuro, algo que le dará un aspecto real. No obstante, el pezón reconstruido presenta limitaciones, ya que no reacciona, por ejemplo, ante el frío o el tacto, del mismo modo que el pezón natural.

Primer paso: construir el pezón

En la actualidad, los cirujanos plásticos suelen recurrir a técnicas que usan injertos del pezón de la otra mama o bien a tejidos locales para crear el pezón en la mama reconstruida.

→ **1. Injertos de pezón de la otra mama:** En pacientes con el pezón voluminoso en la otra mama, se puede extraer una pequeña porción de la parte inferior de dicho pezón e implantarlo en la piel de la mama reconstruida. Al cabo de una semanas, este nuevo pezón estará totalmente integrado y presentará un aspecto tan natural como el del pezón de la mama sana (incluso con el mismo tono en ambos pezones).

Por eso, esta técnica sencilla es la que ofrece el mejor resultado estético y deja secuelas casi inapreciables (en algún caso aislado puede darse cierta reducción de la sensibilidad erógena en la parte inferior del pezón). Como se ha dicho, se trata sin duda de la técnica que hay que elegir en las pacientes con un pezón de tamaño considerable en la mama sana.

→ **2. Tejidos locales.** Consiste en utilizar la piel del nuevo pecho reconstruido para crear el pezón mediante una intervención sencilla, rápida e indolora. En este caso, los cirujanos pueden optar por diferentes métodos según el tipo de incisión que realizan en la piel del pecho (colgajo "*skate*", estrella, campana, cola de pez, omega...). Lo que sí suele coincidir es el hecho de crear un pezón bastante mayor del que se desea porque, durante el primer año, suele reducirse de tamaño.

En ambos tipos de reconstrucción de pezón (tanto la que usa injertos del otro pezón como la que emplea tejidos locales), hay que practicar algunas curas sencillas tras la intervención. Se debe aplicar una pomada antibiótica en toda la zona para evitar infecciones y cubrir el pezón con gasas o algún protector durante un par de semanas. La paciente puede usar sujetador si lo desea, pero sólo si no presiona demasiado el pecho y el pezón.

Segundo paso: añadir la areola

En poco menos de dos meses, el nuevo pezón estará preparado para recibir el tatuaje que oscurecerá la piel y con el que, de este modo, se creará la areola. En general ofrece resultados muy satisfactorios y reales, a pesar de que sólo añade color y no puede generar texturas ni proyecciones.

Se puede realizar de forma ambulatoria bien por parte de un cirujano, bien por parte de otros especialistas (enfermeras experimentadas o artistas profesionales). Primero se limpia la zona con alcohol y se marca el área de la areola, que debe ser del mismo tamaño y forma que la del pecho natural. A continuación, se extiende el pigmento dentro de las marcas, que será de un color más intenso al que luego presentará la areola, y se aplica el color con una aguja fina (la aguja introduce el color bajo la piel).

El proceso suele completarse en una hora. Se cubre el pezón y la areola con gasa y antibiótico y ya se puede regresar a casa, o incluso al trabajo, en el mismo día. De todos modos, conviene evitar las piscinas y los *jacuzzi* durante al menos seis semanas después o hasta que el pezón esté completamente curado. En algunos casos, puede convenir repetir la sesión para oscurecer aún más la zona o unificar los puntos que aparezcan desiguales.

También hay que tener en cuenta que, cuando la paciente tiene una areola muy grande en la otra mama, se puede reducir su diámetro y emplear esa piel areolar para injertarla y reconstruir así la areola de la nueva mama.

Por último, aunque en la actualidad están en desuso, existen otras técnicas para reconstruir la areola que utilizan la piel más pigmentada de la zona de la ingle y de los labios vaginales. El motivo por el cual ya no se utiliza es porque esta piel acaba despigmentandose y deja una cicatriz en una zona sensible cuando con el tatuaje no es necesario.

Las complicaciones y las alternativas

Las técnicas para crear el pezón y la areola no suelen derivar en problemas serios, ya que la mayoría de las complicaciones son de tipo cosmético como la pigmentación inadecuada, la mala ubicación en el pecho o la pérdida de volumen y proyección. Todas ellas pueden corregirse con cierta facilidad mediante procedimientos adicionales.

En todo caso, las mujeres que no desean reconstruirse el pezón pueden recurrir a alternativas como

> Como el pecho reconstruido carece de la misma sensibilidad que el natural, el tatuaje no causa dolor, quizá presión o cosquilleo. Pero si la paciente ha recuperado parte de las sensaciones en la nueva mama o quiere sentirse más segura, puede solicitar algún tipo de anestesia localizada.

Paso a paso de la micropigmentación areolar

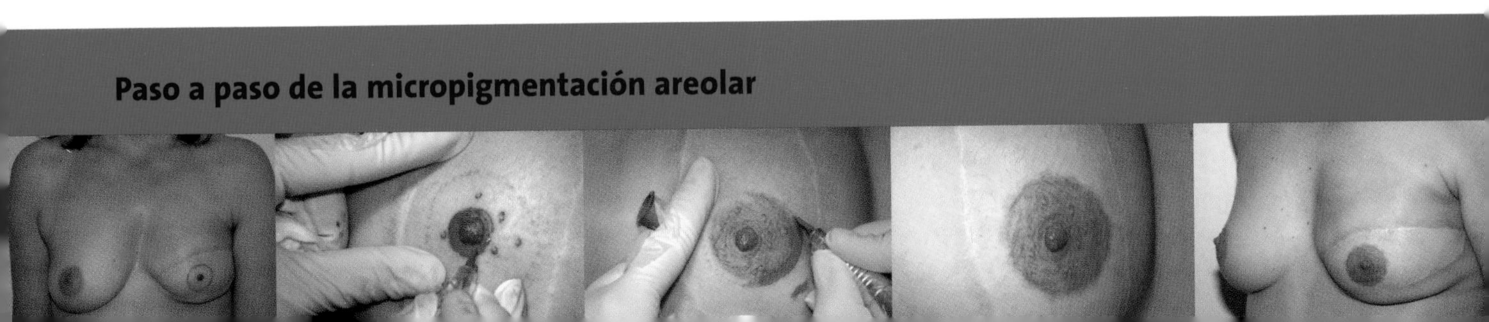

tatuarse un pequeño círculo de un tono más oscuro en el interior de la areola (para crear así la ilusión de un pezón) o, incluso, emplear prótesis externas que simulan un pezón (de poliuretano o silicona) y que se colocan sobre la mama reconstruida.

7. Las técnicas de simetración contralateral

Algunas de las técnicas reconstructivas explicadas, en especial las que usan tejidos de la propia paciente (como el DIEP), permiten que la nueva mama tenga un aspecto bastante natural y evolucione en armonía con la otra. Sin embargo, muchas mujeres necesitan una nueva intervención para modificar ligeramente el pecho sano y así alcanzar la máxima simetría posible entre ambos senos. Se trata de una oportunidad de mejora estética a la que muchas mujeres habían aspirado con anterioridad, pero que nunca se habían decidido a realizar. Para estas mujeres, las que desean completar la reconstrucción con estos retoques, existen tres opciones quirúrgicas diferentes: aumentar el pecho, reducirlo o elevarlo.

Cualquiera de estas intervenciones se puede practicar una vez la mama reconstruida ha adquirido su forma final, algo que suele requerir al menos un período de 2 a 4 meses tras la cirugía reconstructiva, pero también puede realizarse simultáneamente a la reconstrucción mamaria. Cuando la paciente decide que va a reconstruirse la mama, debe preguntar a su cirujano qué opciones tiene para equilibrar estéticamente ambos pechos, qué resultados debería esperar de este retoque y qué secuelas puede tener la intervención (por ejemplo, cicatrices).

Las cirugías para aumentar, reducir o elevar el pecho son intervenciones sencillas y de recuperación poco compleja. Como es lógico, la paciente puede sufrir molestias o incluso dolor que se pueden aliviar con la medicación apropiada. La mayoría de las mujeres necesitan reposar durante 1 o 2 días, pero la sensación de cansancio puede perdurar durante casi una semana. En estos primeros días resulta vital seguir al pie de la letra las instrucciones del cirujano, que seguramente prohibirá realizar esfuerzos como cargar peso, recoger la colada o coger a niños en brazos. En estas cirugías existe poco riesgo de contraer infecciones porque son cirugías limpias y además a modo profiláctico se administran antibióticos tanto antes como después de la intervención.

Al igual que sucede en las reconstrucciones mamarias, el pecho retocado necesita algún tiempo para desinflamarse y adquirir su forma y posición final.

Aumento de pecho

En el contexto de la reconstrucción mamaria, esta cirugía (mamoplastia de aumento) tiene un planteamiento diferente del aumento de pecho puramente estético.

En estos casos, consiste en aumentar el volumen de la mama sana para que adquiera una consistencia y contorno más parecidos a los de la mama reconstruida. Con el paso del tiempo, el embarazo o la lactancia, algunas mujeres experimentan una cierta atrofia o pérdida de volumen de la mama sana. Si el pecho de estas mujeres mantiene una posición adecuada (pecho no caído), puede someterse a esta cirugía de aumento para mejorar el resultado final de la reconstrucción. Es decir, la mamoplastia de aumento es un recurso para dar simetría a ambos pechos que se puede emplear al realizar reconstrucciones de mama.

Esta técnica se basa en introducir un implante mamario a nivel submuscular (por debajo del músculo) o subfascial (por debajo de la fascia –especie de membrana– que recubre el músculo y por encima del propio músculo) para dar volumen y turgencia a la mama sana y así armonizarla con la mama reconstruida. Según cómo sea la anatomía de la mama y qué características presente la paciente, existen diferentes vías de acceso para colocar estos implantes. No obstante, la más utilizada es la vía periareolar, es decir, a través del borde inferior de la areola mamaria, justo donde se produce el cambio de color de la piel. Otras vías de acceso para el implante, menos utilizadas, son la submamaria y la axilar. Se trata de una intervención relativamente breve, de unos 90 minutos, que debe practicarse bajo anestesia general y que requiere ingresar 24 horas en el hospital.

Como se ha comentado, tras la cirugía, el pecho puede permanecer amoratado, hinchado y dolorido durante 1 o 2 semanas, algo que se puede aliviar con compresas frías. Es normal sentir cosquilleo, quemazón o incluso dolor en el pecho durante algunas semanas, en especial en el pezón. Poco a poco, la piel y el músculo del pecho se irán estirando hasta acoger el implante y el pecho caerá y se suavizará hasta adquirir su aspecto y posición final.

Aumento de pecho	
Cirugía	1-2 horas
Hospitalización	24 horas
Actividad diaria habitual	3-4 días
Deportes y actividad enérgica	3-4 semanas

Al igual que en la mayoría de las intervenciones bien planteadas y confiadas a manos expertas, existe poco riesgo de complicaciones. A pesar de ello, se pueden producir algunas complicaciones como la contractura capsular: el implante, queda rodeado de un tejido cicatricial más espeso de lo normal, que endurece el tacto de la mama (el tejido cicatricial es una capa de tejido fibroso parecido a una piel gruesa y rugosa). Esta complicación se presenta entre el 5 y el 8 por ciento de los casos y sólo depende del metabolismo cicatricial de cada persona.

Reducción de pecho

La mamoplastia de reducción ofrece grandes beneficios en los pechos grandes y flácidos. Además de optimizar su forma y talla, mejora la calidad de vida de las mujeres que apuestan por esta cirugía, ya que con frecuencia las mamas de volumen y peso excesivo provocan dolor de espalda o problemas posturales.

Como ya se ha explicado, la reconstrucción mamaria busca conseguir un pecho natural y con un volumen apropiado, sobre todo en relación con el contorno del tórax de la mujer. De ahí que, al plantearse la reconstrucción, carezca de sentido mantener una talla de pecho excesiva, aunque fuera la talla inicial de la paciente. Por eso, la reducción mamaria es un procedimiento que se asocia con frecuencia a la reconstrucción y que, como se ha comentado antes, puede practicarse tanto al mismo tiempo que ésta como a posteriori. No obstante, a pesar de que pueda resultar algo más complejo, resulta más recomendable realizar la mamoplastia de reducción en la misma operación, ya que así se le evita una segunda cirugía a la paciente.

Como cirugía, la reducción es un proceso más complejo que el aumento de pecho, ya que implica realizar una incisión para quitar el exceso de tejido, grasa y piel y, después, recoser la mama. La piel de ambos lados se une para generar un contorno más firme. La técnica más conocida es la de la "T invertida", pero existen otras muchas opciones. El cirujano plástico indicará la más apropiadas en cada caso. Durante la operación, el pezón suele permanecer unido a sus nervios y vasos sanguíneos en una isla de piel. Sin embargo, si el seno es muy grande, puede necesitarse quitar el pezón e injertarlo en una posición superior de la mama. En estos casos se puede perder la sensibilidad en el pezón.

El proceso postoperatorio no suele causar dolor y resulta poco incómodo. El pecho y el pezón pueden entumecerse durante 6 u 8 semanas, aunque en la mayoría de las mujeres la inflamación desaparece a las

Reducción / elevación de pecho	
Cirugía	1-3 horas
Hospitalización	24 horas
Actividad diaria habitual	1 semana
Deportes y actividad enérgica	4-6 semanas

Reconstrucción mamaria derecha (técnica DIEP) con simetrización contralateral (reducción / elevación de mamas)

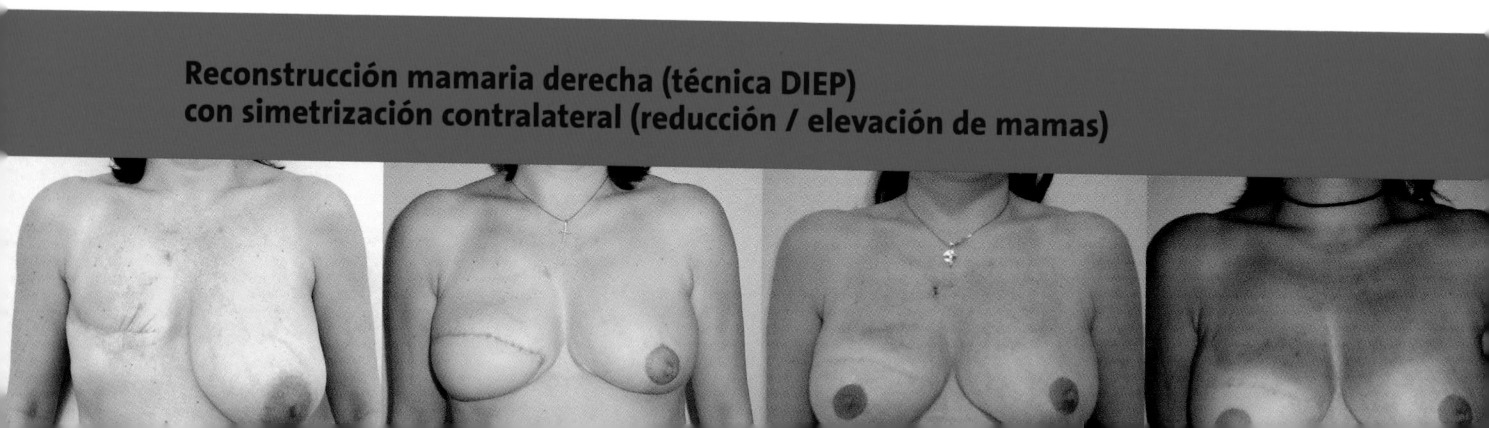

pocas semanas. El cirujano también recomendará no cargar pesos ni realizar esfuerzos durante algún tiempo, así como llevar un sujetador tipo deportivo unas cuantas semanas tras la cirugía.

Entre las posibles complicaciones de la reducción de pecho, se encuentra el dolor que algunas mujeres experimentan hasta que la mama ha sanado por completo, así como la posibilidad de perder la capacidad de amamantar si la cirugía corta todos los conductos de la leche materna. Finalmente, un pequeño porcentaje de pacientes pierde sensibilidad en el pezón o incluso en el pecho y, en casos muy aislados, el pezón y la areola pueden morir por falta de riego sanguíneo, algo que requiere utilizar un injerto de piel para reconstruir el pezón.

Elevar el pecho

A veces no se necesita aumentar o reducir el pecho para equilibrarlo con la mama reconstruida, pero sí elevarlo a través de una intervención llamada "mastopexia". Con esta cirugía se corrige la flacidez causada por el paso del tiempo, el exceso de peso, el embarazo o la disposición genética. Además esta técnica puede combinarse tanto con la reducción de pecho como con el aumento, en los casos que resulte indicado.

En la mastopexia, los cirujanos plásticos suelen emplear diferentes técnicas según el tipo de pecho de la paciente. En todo caso, a partir de una incisión alrededor de la areola, sea cual sea su forma, se retira el fragmento de piel necesario y se suturan juntos los bordes de piel que han quedado: así la mujer tiene el mismo tamaño de pecho que antes pero sujetado por menos piel, de manera que la mama se eleva y gana en firmeza. Este cambio implica recentrar la areola y el pezón que, como en intervenciones anteriores, pueden perder parte de la sensibilidad normal en esa zona. Las cicatrices resultantes son muy parecidas a las de la reducción mamaria, aunque un poco más cortas. Buena parte de las recomendaciones para el postoperatorio coinciden con las de las operaciones de aumento o reducción de pecho. Por ejemplo, hay que tener paciencia con la inflamación en el pecho, que tarda al menos 6 semanas en desaparecer; evitar cargar pesos hasta que el cirujano lo autorice; o vestir un sujetador tipo deportivo durante todo el día. En cuanto al regreso a la actividad habitual o al trabajo, la mayoría de las mujeres pueden hacerlo a partir de 2 o 3 semanas tras la cirugía.

En cuanto a las posibles complicaciones, destaca el entumecimiento del pezón y del pecho como mínimo durante 6 semanas. En cambio, la mastopexia respeta por completo la capacidad de la mujer para dar el pecho en el futuro, ya que no afecta a los conductos de la leche materna. En algunos casos, cuando el pecho retocado se asiente, puede suceder que el pezón aparezca descentrado o desnivelado, algo que se puede corregir con procesos quirúrgicos sencillos. Por último, hay que recordar que, desafortunadamente, los efectos de la mastopexia no duran para siempre y, por tanto, la flacidez reaparecerá como consecuencia de la edad, la gravedad u otros factores.

Concluido este punto, es el momento de resumir algunos de los interrogantes más frecuentes sobre las técnicas de reconstrucción mamaria, cómo se aplican a las pacientes y qué repercusiones prácticas pueden suponer. Bajo la forma de preguntas y respuestas, este apartado puede ayudar a resolver con rapidez algunas de las dudas que suelen asaltar a las mujeres antes o después de someterse a cirugías contra el cáncer de mama.

8. Preguntas y respuestas

¿Qué porcentaje de mujeres con cáncer de mama deciden reconstruirse el pecho mastectomizado?
Los estudios realizados hace unos años cifraban en un 15 por ciento las mujeres mastectomizadas que finalmente se decidían por la reconstrucción. Este bajo porcentaje se explica por la escasa información, y a veces mala orientación, que las pacientes recibían durante el tratamiento del cáncer de mama. No obstante, en la actualidad, cada vez son más las mujeres que solicitan la reconstrucción mamaria gracias a que resulta más fácil encontrar información fiable al respecto.

¿Se puede saber anticipadamente cómo quedará la mama tras la reconstrucción?
Por regla general, el especialista permite ver a los pacientes su archivo de casos (anónimos) en el que se buscan fotografías de "antes y después" de la reconstrucción en personas con unas características corporales similares. No obstante, hay que recordar que estas imágenes pueden dar una idea aproximada de los resultados de una reconstrucción, pero que cada paciente es físicamente diferente, experimenta de forma propia la evolución y el tratamiento del cáncer, y sus tejidos también se comportan de una manera diferenciada.

¿Quién puede reconstruirse la mama mediante la técnica DIEP (*Deep Inferior Epigastric Perforator*)?
La mayoría de mujeres mastectomizadas pueden ser candidatas apropiadas para realizarse un DIEP, que es una reconstrucción de la mama a partir de piel y tejido graso –nutrido por arterias y venas– que se obtienen del abdomen de la propia paciente. Sólo un cirujano plástico con experiencia en este tipo de intervenciones puede valorar si existe suficiente tejido abdominal disponible, ya que con frecuencia el desconocimiento de esta técnica puede llevar a indicarla de forma incorrecta.

Virtualmente cualquier mujer es candidata a la reconstrucción de la mama mediante la técnica DIEP o bien mediante tejido cutáneo y graso de los glúteos (denominado SGAP). De hecho, la mayoría de las mujeres dispone de tejido suficiente en el abdomen como para reconstruir el pecho. Además, la mayoría de las cirugías realizadas previamente en el abdomen no impiden usar esta área del cuerpo.

¿En qué casos está contraindicada la técnica DIEP?
Existen únicamente dos contraindicaciones absolutas. La primera, ser una fumadora activa importante, por lo

que la paciente que desee operarse con esta técnica deberá dejar de fumar durante un periodo mínimo de 6 semanas antes de la intervención. Y la segunda, haber pasado por algún tipo de intervención quirúrgica previa en el abdomen que hubiese dañado la vascularización de la pared abdominal. Este segundo supuesto es muy poco frecuente, ya que la mayoría de las intervenciones abdominales (vesícula biliar, histerectomías, apendicitis...) no dañan los vasos abdominales.

Por tanto, ¿hay que dejar de fumar para someterse a una operación con la técnica DIEP?

Las pacientes deben dejar de fumar completamente 6 semanas antes de la cirugía. Las sustancias que se absorben al fumar, en especial la nicotina, son extraordinariamente perjudiciales en este tipo de cirugía. La nicotina es una sustancia vasoactiva que hace que se cierren los vasos sanguíneos.

¿Cuáles son las diferencias entre las técnicas DIEP y TRAM? (*Tranverse Rectus Abdominis Musculocutaneous*)?

En resumen, el TRAM conlleva destruir musculatura de la pared abdominal, mientras que el DIEP sólo emplea la piel y grasa sobrante del abdomen. Por eso, el DIEP tiene todas las ventajas del TRAM pero, además, aporta el beneficio de que no lesiona la pared abdominal de la mujer. Por eso, el DIEP evita posibles problemas futuros de hernias, dolores e incapacidad física por debilidad abdominal. Además, la recuperación postoperatoria es más rápida, lo que implica menos días de estancia hospitalaria.

Si ya se ha realizado un TRAM y la paciente ha experimentado complicaciones, ¿a qué tipo de reconstrucción puede someterse?

No puede realizarse un DIEP, ya que el abdomen de la paciente ha sido alterado en el TRAM previo, pero existen numerosas técnicas alternativas para este tipo de paciente. Posiblemente una de las más adecuadas sería el SGAP de la región glútea.

¿Cuánto tejido del abdomen se utiliza para reconstruir la mama con un DIEP?

Únicamente se transfiere piel y grasa abdominal, de forma que el abdomen de la paciente aparece igual que si se hubiera realizado una abdominoplastia correctora estética (para obtener un vientre más plano y firme). No se transfiere ningún tipo de estructura muscular.

¿Cómo consigue la técnica DIEP acompañar el tejido abdominal de vasos sanguíneos si no usa la musculatura de esa zona?

Los vasos sanguíneos profundos presentan ramas vasculares que atraviesan, de profundo a superficial, la musculatura abdominal y, en última instancia, llegan al tejido adiposo y a la piel del abdomen. La técnica DIEP consiste en seguir estos vasos perforantes, desde la superficie hasta la profundidad y a través del músculo, con técnicas de microcirugía para respetar dicho músculo y su inervación (distribución de los nervios). De esta manera se llega a los vasos profundos sin lesionar la pared abdominal. Los vasos profundos, en este caso los vasos epigástricos profundos inferiores, se disecarán junto a los vasos perforantes y al tejido de piel y grasa y, luego, se unirán a los vasos de igual diámetro del tórax. Estos vasos profundos son totalmente prescindibles puesto que el resto de la vascularización profunda y superficial del cuerpo suplirá su carencia a la perfección.

¿Es posible transferir tejido de una persona a otra para realizar una nueva mama?

No, sólo funcionaría si la otra persona fuera gemela idéntica y después de haber realizado un estudio genético previo. En Estados Unidos, el doctor Robert Allen, pionero en este tipo de reconstrucción, ha realizado alguna intervención de transferencia de tejido para reconstruir la mama en gemelas.

¿En qué momento conviene realizar la intervención con la técnica DIEP?

Este tipo de reconstrucción mamaria puede realizarse en el mismo momento en que se realiza la cirugía conservadora de mama o la mastectomía (reconstrucción inmediata) o un tiempo después (reconstrucción mamaria diferida). Elegir uno u otro momento dependerá del tipo de tumor y de la indicación del oncólogo o del especialista, así como de la decisión que cada mujer tome al respecto. La edad no supone ninguna limitación, sólo el historial médico.

¿Cuánto tiempo debe transcurrir tras la mastectomía para realizar un DIEP?

Depende del tratamiento oncológico al que se ha sometido la paciente. En este sentido, se puede realizar la reconstrucción a partir de los 6 meses de haber completado el tratamiento complementario de quimioterapia o después de un período de entre 8 y 12 meses tras la radioterapia. Siempre se busca el momento idóneo teniendo en cuenta el bienestar de la paciente.

¿Puede realizarse este procedimiento tras haber recibido radioterapia?

Sí. De hecho, el DIEP se recomienda en especial a las pacientes que han recibido radioterapia, ya que, al aportar tejido sano vascularizado (con los vasos sanguíneos), esta cirugía mejora sustancialmente el área afectada por la radiación. Desde la última dosis de radioterapia debe transcurrir entre 8 meses y 1 año. También se puede realizar una reconstrucción inmediata y recibir después radioterapia.

¿Suele ser necesario intervenir la mama contralateral?

Con la cirugía reconstructiva se busca el mejor resultado para el conjunto del pecho y de la figura de la mujer. Por eso, muchas veces se aconseja reducir las mamas, practicar una mastopexia (para dar a la mama un aspecto más joven) o, incluso, aumentar la otra mama. En cualquier caso, cuando se confía a manos expertas, este procedimiento se suele realizar en el mismo momento en que se realiza la reconstrucción para evitar someter a la paciente a nuevas cirugías en el futuro.

¿La mastectomía la realiza el equipo que hace la reconstrucción o bien corre a cargo de otro cirujano?

La mastectomía puede ser realizada por el cirujano general (senólogo), por el ginecólogo o por el cirujano plástico, pero siempre con unos criterios oncológicos adecuados.

¿Puede realizarse una reconstrucción de las dos mamas en una misma intervención quirúrgica?
En el caso del DIEP generalmente sí, siempre que dispongamos de suficiente tejido en el abdomen.

¿Desde cuándo se realiza este tipo de cirugía?
En España se empieza a practicar en 1999 gracias al equipo pionero del doctor Jaume Masià, que desarrolló la técnica del DIEP en la Clínica Planas y en el Hospital de Sant Pau de Barcelona. Desde esa fecha, más de 150 cirujanos plásticos de 14 países diferentes han pasado períodos de formación con el doctor Masià para aprender este tipo de técnicas.

¿Qué equipos realizan este tipo de cirugía en otros paises?
Progresivamente la técnica del DIEP se va imponiendo en la mayoría de centros hospitalarios donde se realiza una cirugía plástica de calidad. A pesar de ello, la implantación resulta lenta debido a que esta técnica precisa de un aprendizaje largo y complejo por parte de los facultativos.

¿Existen otros doctores que realicen la cirugía reconstructiva DIEP fuera de España?
En la mayoría de centros especializados y de prestigio del mundo, esta intervención constituye la primera opción para la reconstrucción mamaria. Ése es el caso de algunos de los hospitales europeos más reputados, como el Hospital Universitario de Gante (Bélgica) o el Canniesburn de Glasgow (Reino Unido), o de cirujanos plásticos norteamericanos como Robert Allen, Geoffrey Hallock o Peter Neligan.

¿Se utiliza el DIEP en algún otro procedimiento reconstructivo que no sea el de mama?
Sí, también se utiliza en la cirugía reconstructiva de numerosas patologías como, por ejemplo, el síndrome de Poland, cirugía de cabeza y cuello, reconstrucciones complejas tras la resección de tumores, para afrontar traumatismos importantes, entre otras.

¿Puede practicarse este procedimiento en mujeres con una reconstrucción previa con prótesis?
Sí. Cualquier persona con una reconstrucción previa mediante implante de silicona puede beneficiarse del DIEP. Se retira el implante y se transfiere el tejido abdominal con técnicas microquirúrgicas, de la misma manera que se haría en una paciente sin reconstrucción previa. Todo el proceso tiene lugar en un mismo tiempo o fase quirúrgica. De hecho, se obtienen resultados francamente espectaculares, que logran la naturalidad que las pacientes anhelan para su nueva mama.

¿Por qué el DIEP tiene más beneficios que la reconstrucción mamaria con implantes?
Los implantes siempre pueden sufrir el fenómeno de encapsulamiento o contractura capsular que, según el grado que presente, requeriría retirar el implante porque estaría alterando la forma del pecho o generando

molestias. Además, un pecho reconstruido con implantes no evoluciona a lo largo de la vida de la paciente como lo haría una mama reconstruida con tejido vivo, algo que sí sucede en el caso del DIEP. La mama reconstruida con tejido autólogo o propio de la paciente aumenta y disminuye de tamaño igual que lo hace el pecho normal: es decir, sigue las fluctuaciones corporales habituales que cualquier persona experimenta durante la vida. También hay que tener presente que los implantes no constituyen una solución para toda la vida: como la mayoría de ellos sufren un cierto desgaste, se recomienda cambiar los implantes cada 15 años. En cambio, el DIEP ofrece resultados para siempre.

¿Cuáles son los riesgos específicos en las técnicas de expansión tisular más implante, en la reconstrucción con músculo latissimus dorsi (músculo dorsal ancho) y en la reconstrucción DIEP?

Los riesgos comunes a las tres técnicas son: cambio de sensibilidad en la piel, cicatrización anómala y poco atractiva que puede precisar de corrección quirúrgica posterior, asimetría entre las mamas, y necrosis cutánea.

En los procedimientos que implican prótesis, resulta más difícil que los pechos se mantengan simétricos, ya que los cambios de peso propios del paso del tiempo causarán variaciones entre el pecho no reconstruido y el que lleva implante.

En la técnica de expansión tisular es posible que se produzca la extrusión del implante (del expansor o de la prótesis de silicona posterior) debido a la falta de una capa de tejido adecuada o a una infección. La extrusión o salida del implante a través de la piel precisa de una operación para extraerlo por completo. También puede darse intolerancia al material.

En la reconstrucción con el músculo dorsal ancho, latissimus dorsi, la recuperación puede ser lenta y, al sacrificar el músculo dorsal ancho se puede dificultar la práctica de deportes o ejercicios físicos que requieran mover de forma activa e importante el brazo correspondiente. Además, puede existir necrosis del colgajo total o parcial. No obstante, la complicación más frecuente radica en la formación y acúmulo de líquido (seroma) estéril en la zona dadora (la espalda), que puede infectarse y/o provocar sufrimiento en la piel suprayacente, por lo que habrá que drenarlo cuantas veces sea necesario mediante una punción.

En cuanto al DIEP, los riesgos específicos son las posibles alteraciones en la sensibilidad abdominal, así como la cicatrización patológica del abdomen. Como riesgo más grave –aunque poco probable, menor del 1 por ciento si se realiza un estudio adecuado– aparece la necrosis del tejido transplantado, con la pérdida parcial o total de la mama. Además, las tres técnicas requerirán cirugía reconstructiva de la areola y del pezón. Y en este caso, los riesgos específicos de esta intervención son la alteración anómala de la cicatriz, la necrosis del pezón y la alteración de la pigmentación de la areola.

¿Cuándo se podrá reconstruir la areola y el pezón?

La reconstrucción de la areola y del pezón (complejo Areola- Pezón), así como cualquier otra modificación o perfeccionamiento en el tamaño o la forma de la mama reconstruida, debe realizarse cuando el tejido de la mama reconstruida se haya estabilizado en su nueva ubicación. Por tanto, el cuándo depende de la evolución y la recuperación de cada paciente, pero suele realizarse entre los 4 y los 6 meses después de la reconstrucción. El procedimiento se lleva a cabo de manera ambulatoria y mediante anestesia local.

¿La liposucción se utiliza de forma rutinaria en la reconstrucción mamaria?

No. Únicamente se puede llegar a utilizar como técnica para perfeccionar la remodelación de la nueva mama y, por tanto, en un tiempo posterior a la reconstrucción. Algunas veces también se puede utilizar para mejorar el contorno abdominal, aunque la reconstrucción se haga con la técnica DIEP.

¿Resulta recomendable realizar mastectomías por mastopatía fibroquística?

Hoy se considera la mastectomía como el último recurso terapéutico. Por tanto, resulta indicada en cánceres de mama o en mujeres con alto riesgo de sufrir estos tumores, y no en el caso de una enfermedad fibroquística aislada sin riesgo de malignidad.

Para alguna mujeres resulta fundamental la actividad física. ¿Hay que estar mucho tiempo en reposo tras la cirugía reconstructiva de mama?

En algunos casos, las mujeres con un alto nivel de actividad física pueden reemprender su vida con normalidad a las 3 semanas de darles el alta. Como no se altera la función de la musculatura, se puede llegar a practicar ejercicio físico intenso. Siempre resulta aconsejable realizarlo de forma progresiva y con precaución.

¿Se puede realizar la operación reconstructiva si ese día se tiene la menstruación?

En principio sí. Muchas pacientes –debido a su agenda personal o profesional, a la necesidad de viajar para operarse...– son operadas mientras tienen la menstruación. En ese caso, hay que tener en cuenta los cambios hormonales que se producen en el organismo durante esa fase. Por otro lado, con frecuencia, el estrés y el nerviosismo natural ante la operación puede hacer que se adelante la menstruación.

¿El DIEP resulta una intervención dolorosa?

La mayoría de las pacientes dejan de tomar analgésicos a los 3 o 4 días después de la operación. Las molestias se derivan básicamente del hecho de no poder dormir boca abajo durante las primeras semanas del postoperatorio, así como de la tirantez abdominal inicial.

¿Qué pasos exactos deben seguirse inmediatamente después de la cirugía DIEP?

Tras la cirugía reconstructiva, la paciente será trasladada a la sala de observación postquirúrgica, aunque en la mayoría de los casos será conducida directamente a la habitación. Allí se puede instalar un procedimiento de control postoperatorio mientras la paciente está mejor atendida y acompañada de sus seres queridos. En la habitación permanecerá 2 o 3 días hasta que se le retiren todos los drenajes y, después, se le dará el alta hospitalaria. En una semana se realizará un control en la consulta del especialista.

¿Cuándo se puede depilar la axila del lado operado?
A partir del primer mes.

¿Cuánto tiempo es necesario para que las cicatrices se disimulen y la nueva mama tenga un aspecto natural?
Se necesitan unas 6 semanas para que, primero, el conjunto adquiera un resultado estético aceptable. Después, a medida que pasen las semanas continuará la mejoría aunque no de forma tan aparente. Finalmente, no será hasta pasados 6 u 8 meses cuando la nueva mama adquiera un aspecto natural
.

¿Se puede mejorar con alguna técnica complementaria el aspecto de las cicatrices?
El resultado final depende de cada piel, pero existen apósitos de silicona que, cuando se aplican sobre las cicatrices, mejoran su aspecto final mediante lo que conocemos como "presoterapia". De igual forma, existen cosméticos, aceites y cremas que pueden favorecer ese proceso. Además, para que el color final de la cicatriz sea más claro y se confunda con la piel de alrededor, también pueden utilizarse técnicas con láser. En resumen, la compresión, la cosmética y el láser –empleados según la evolución de cada caso– proporcionan muy buen resultado estético en la inmensa mayoría de los casos y logran que las cicatrices se estabilicen definitivamente en un año.

¿Qué posibilidad existe de volver a tener cáncer en la mama reconstruida?
La recidiva o reaparición del cáncer depende del tipo de tumor, de su tamaño y del número de ganglios afectados. Por tanto, la reconstrucción no interfiere sobre el tipo del tratamiento, ni sobre su evolución, y no se ha visto que pueda retardar la detección de una recidiva.

¿Qué complicaciones inmediatas pueden sobrevenir en la cirugía del DIEP?
Existe la posibilidad de tener que revisar el colgajo en el quirófano en las 24-48 horas siguientes a la reconstrucción (5 por ciento) o de experimentar la pérdida del colgajo (1 por ciento). La causa más habitual de estas complicaciones suele ser un hematoma que comprime el vaso sanguíneo que nutre el tejido.

¿Cuáles son los efectos a largo plazo en el abdomen?
Se puede manifestar una mínima alteración sobre la musculatura abdominal.

¿Hay que hacerse mamografías del pecho reconstruido?
No es preciso puesto que no hay tejido mamario. Si existen dudas de que haya quedado tejido mamario, siempre es posible realizarlas.

¿Qué posibilidad existe de que aparezca una hernia abdominal tras la cirugía?
La incidencia de herniación en el DIEP es del 1 por ciento y en el TRAM del 8 al 30 por ciento a pesar de que se haya colocado una malla en el abdomen.

¿Qué efecto tiene el DIEP sobre un hipotético embarazo?
Ninguno. El embarazo no se verá condicionado en ningún aspecto tras esta cirugía. La fisiología del pecho no operado se mantendrá igual. Durante el proceso de reconstrucción, el único tratamiento que puede alterar el embarazo es la medicación antihormonal prescrita por el oncólogo. Es a este profesional a quien hay que consultar las posibles dudas al respecto.

¿Cuándo podré tomar el sol y/o UVA en la zona operada?
A los dos meses de la reconstrucción pero sólo con protección solar extrema. Si no se usa esta protección extrema, hay que esperar un año.

¿Cuándo se puede volver a usar sujetador tras el DIEP?
El segundo día después de la intervención. Durante las primeras semanas hay que usar uno de tipo deportivo e, incluso, hay que dormir con ese sostén durante las 2 o 3 primeras semanas. Luego, durante un tiempo limitado, se puede empezar a utilizar otros modelos, pero sin aros ni costuras. Finalmente, ya se puede escoger y vestir la ropa interior que se prefiera.

¿Se tiene sensibilidad en la nueva mama?
En más de una cuarta parte de las pacientes (25 por ciento) se produce una reinervacion espontánea, es decir, se desarrollan terminaciones nerviosas sensitivas a nivel de la mama reconstruida. Para incrementar la calidad en la sensibilidad posterior de la mama reconstruida, se conecta –cuando técnicamente es posible– el cuarto nervio intercostal (nervio principal en la sensibilidad del pezón) a un nervio sensitivo del colgajo abdominal.

¿Se puede dormir boca abajo?
Se puede dormir boca abajo a partir del primer mes, cuando la zona pectoral ya esté cicatrizada. De todas formas, el mismo cuerpo va marcando el ritmo de los movimientos durante el descanso nocturno.

¿Cambiará la mama reconstruida si se aumenta o se pierde peso?
Los colgajos de perforantes siguen las variaciones de volumen del resto del cuerpo y, lo que es más importante, siguen un curso simétrico con la otra mama sana.

¿Permiten las cicatrices usar biquini?
Sí.

¿Cuántos días es prudente esperar para viajar?
3 o 4 semanas para viajes largos. En cambio, para trayectos cortos y no pesados, se puede viajar a partir de la semana de la cirugía.

¿Cuántos días conviene esperar para conducir o levantar pesos?
Entre 2 y 3 semanas.

¿Se puede usar la bañera o la ducha los primeros días tras la intervención?
Se recomienda la ducha rápida haciéndolo sin miedo a mojar las heridas.

9. La mastectomia profiláctica y su reconstrucción

La mastectomía profiláctica o preventiva consiste en extirpar todo el tejido mamario –o la mayoría de dicho tejido– de una mama sana para reducir el riesgo de desarrollar un cáncer de mama (aunque no elimina el riesgo por completo).

Este tipo de intervención está indicado en pacientes que tienen un riesgo más alto de desarrollar cáncer de mama que el resto de mujeres (por ejemplo, pacientes con estudios genéticos positivos para BRCA1 o BRCA2, con lesiones mamarias premalignas, etc.). También puede realizarse esta intervención en pacientes que ya han sufrido un cáncer de mama y que, en determinadas circunstancias, necesitan reducir el riesgo de que aparezca un nuevo cáncer de mama en el pecho sano. Aquí se incluyen, por ejemplo, las pacientes que presentan imágenes radiológicas difíciles de controlar en el pecho sano.

Los dos tipos de de mastectomía profiláctica

→ **La mastectomía simple profiláctica:** consiste en extirpar la glándula mamaria, la areola y el pezón, pero se preserva el resto de la piel del pecho.

→ **La mastectomía subcutánea:** además de la piel, se preserva la areola y el pezón. Con esta técnica pueden quedar restos de la glándula mamaria, por lo que su efecto preventivo es menor que el de la mastectomía simple.

Algunas mujeres experimentan lo que se puede denominar "cancerofobia", pacientes que han sufrido cáncer de mama y que viven obsesionadas ante la idea de que la enfermedad reaparezca en el otro pecho. Es necesario valorar estos casos con cuidado, ya que la mastectomía profiláctica se practica en una mana sana y el riesgo de desarrollar cáncer es sólo una probabilidad. Por un lado, el médico debe obrar con cautela antes de indicar esta cirugía y, por otro, la paciente debe tomar parte en esa decisión después de conocer a la perfección los riesgos y consecuencias que conlleva.

En cuanto a la reconstrucción después de una mastectomía profiláctica, se recomienda que se realice de forma inmediata. Así se pueden obtener resultados francamente positivos, derivados de ventajas como conservar parte de la piel del pecho o disponer de unos límites anatómicos (el surco submamario, línea intermamaria...) que no están afectados por la inflamación ni por los cambios cicatriciales postoperatorios. Con la reconstrucción inmediata se minimizan las cicatrices y se mejora la simetría entre ambos pechos.

Tal como se ha comentado en las páginas anteriores, la paciente y el cirujano plástico deben decidir consensuadamente qué reconstrucción mamaria es la más adecuada. Una vez más, habrá que tener en cuenta las características físicas de la paciente (cómo se distribuye en ella la grasa corporal), su historial médico, sus hábitos de vida, sus expectativas... Pero, sobre todo, la decisión se verá condicionada por el tipo de reconstrucción que se ha realizado o que se va a efectuar en la mama que tiene cáncer. No es difícil entender que, como la mastectomía profiláctica conserva la piel del pecho, si se restituye la mama con un tejido graso parecido al del pecho, se puede alcanzar un excelente nivel de calidad en la reconstrucción. Por eso, el DIEP y el SIEA siguen siendo aquí las técnicas de primera elección.

10. La reconstrucción parcial de mama: cómo mejorar los resultados en la cirugía conservadora de mama

Nadie discute hoy los beneficios ni los casos en que resulta indicada una cirugía conservadora de mama. Afortunadamente, cada vez son menos las mujeres que deben someterse a una mastectomía: muchas de ellas pueden ser tratadas mediante una tumorectomía con una exploración ganglionar (una exploración del ganglio centinela) y un tratamiento complementario con radioterapia y quimioterapia. De todo ello ya hablamos en la primera parte de esta obra.

No obstante, a pesar de que la cirugía conservadora de mama reduce el número de amputaciones mamarias, hay que analizar cuáles son sus resultados reales. La tumorectomía supone una resección de la mama limitada pero, a menudo, genera una asimetría considerable entre los dos pechos debido a la pérdida de volumen que conlleva, a la retracción cicatricial posterior y a los efectos de la radioterapia. De hecho, esta cirugía puede causar una deformidad en el pecho que, en ocasiones, condiciona a la paciente del mismo modo que lo hace la mastectomía. Por tanto, si el objetivo es mejorar la calidad de vida en la mujer afectada por el cáncer de mama, hay que informar a estas pacientes de que existen técnicas disponibles para paliar las secuelas citadas.

Primero porque, como la reconstrucción se realiza en la misma operación que la tumorectomía, evita que convivan con la asimetría mamaria causada por la extirpación del tumor. Segundo, porque ahorra practicar una segunda intervención con los riesgos quirúrgicos y anestésicos consiguientes. Y, tercero, porque los resultados estéticos finales son mejores, ya que se evitan las inflamaciones y los cambios en las cicatrices de una cirugía y se causa menos daño en los tejidos.

Son muchas las técnicas quirúrgicas que se pueden aplicar para corregir estos defectos, muchas ya descritas en los capítulos previos y algunas otras que abordaremos ahora. Todas ellas se pueden agrupar bajo el nombre de cirugía oncoplástica pero, como cada mama y cada defecto son diferentes, estas técnicas deberán personalizarse en cada una de las pacientes. De hecho, con frecuencia convendrá combinar varias técnicas con el fin de conseguir el resultado más óptimo. De todos modos, la mayoría de estas cirugías resultan poco complejas y permiten una rápida recuperación.

Como primer caso, en los tumores que aparecen en una mama voluminosa y caída, se puede utilizar una técnica de reducción mamaria para resecar el cáncer e incluirlo así en la zona de tejido mamario que se descarta. Es decir, se quita el tumor y se adapta el tamaño de la mama para mejorar la apariencia estética del pecho.

> Como se ha repetido a lo largo del libro, las técnicas de reconstrucción inmediata ofrecen un mayor beneficio a las pacientes.

En una segunda situación, cuando la mama es de pequeño tamaño, se necesita aportar tejido para compensar la pérdida de volumen generada por la tumorectomía o cuadrantectomía. Aquí aparecen diferentes técnicas posibles, pero una de las más empleadas es la de los colgajos perforantes de vecindad (colgajo TAP, ICP...), se aprovecha el tejido cutáneo de debajo de la axila y de la parte anterior de la espalda para trasladarlo al pecho y rellenar con ese tejido el espacio que ha quedado tras extirpar el cáncer. Una segunda técnica, cada vez de mayor aplicación, es el injerto graso del que ya hemos hablado y que, en síntesis, consiste en extraer grasa mediante unas jeringas de liposucción, en separar la parte más vital de la misma (las células madre) y en infiltrar esa parte en la mama para restituirle su forma y volumen.

Por último, cuando el tamaño del defecto es muy grande, se precisa recurrir a técnicas como las empleadas para reconstruir la mama después de una mastectomía total.

11. La reconstrucción mamaria tras una recidiva

Por desgracia, a pesar de haber recibido un tratamiento oncológico correcto, las pacientes siempre deben afrontar el riesgo de que se produzca una recidiva local: es decir, el riesgo de que el tumor reaparezca en la zona operada, ya sea a nivel del tórax o a nivel de la axila. Las pacientes experimentan un miedo y ansiedad enormes ante las recidivas porque tienen la sensación de que el tumor se ha escapado del control médico. Aquí la recomendación es la de confiar en el oncólogo, conservar la calma y, sobre todo, no rendirse ante la enfermedad. Hoy se pueden controlar estas situaciones y, con un tratamiento adecuado, mantener casi la misma esperanza y calidad de vida anterior.

En una recidiva siempre se precisa de una cirugía que reseque el nuevo tumor, pero con unos criterios a menudo más radicales. Si no se había reconstruido la mama, posiblemente se necesitará alguna técnica de cirugía plástica para cubrir el defecto que queda en el tórax. En cambio, si la paciente está reconstruida, seguramente requerirá alguna técnica complementaria que restituya otra vez el contorno de la mama después de la cirugía oncológica.

Conviene dejar bien claro que, por muy radical que deba ser la cirugía para resolver la recidiva de un tumor, en la actualidad existen técnicas para reconstruir la mama de nuevo en casi todos los casos. Por eso, las pacientes deberían contactar también con el cirujano plástico para afrontar esa situación adversa y realizar el tratamiento oncológico integral adecuado.

12. El linfedema y su tratamiento

El linfedema consiste en la acumulación de linfa (el fluido que ayuda a combatir las infecciones y enfermedades) en el tejido graso que se encuentra justo debajo de la piel. Esta acumulación de linfa ocasiona hinchazón (normalmente en los brazos y en las manos), inflamación crónica, y un aumento en el grosor y la fibrosis del tejido que se encuentra justo debajo de la piel. De hecho, el linfedema en la extremidad superior es una complicación relativamente frecuente cuando se trata el cáncer de mama: se estima que casi un 10 por ciento de las afectadas por esta enfermedad desarrollará este problema.

> Una vez se ha desarrollado, el linfedema resulta incluso más invalidante físicamente que la mastectomía, ya que, como se expone a continuación, puede afectar a la movilidad del brazo y, por tanto, a su función.

Para entender mejor cómo se trata el linfedema, conviene explicar algo más de la anatomía del sistema linfático. Este sistema forma parte del sistema inmunitario del cuerpo humano, es decir, del sistema defensivo de nuestro organismo. Está formado por una red de órganos y de vasos linfáticos especializados, que canalizan y distribuyen los linfocitos (glóbulos blancos) y otras células. Esos linfocitos y células ayudan al cuerpo a combatir las enfermedades y las infecciones. En realidad, los vasos linfáticos se parecen a las venas, aunque tienen una pared mucho más delgada y son extremadamente pequeños. Algunos de estos vasos están justo debajo de la piel, muy cerca de su superficie, al lado de las venas subdérmicas, pero otros se adentran en el tejido adiposo (graso) que se encuentra cerca de los músculos y de las arterias y venas profundas. Los vasos linfáticos cercanos a la superficie de la piel ayudan a recoger fluidos y proteínas de los tejidos a través de todo el cuerpo y transportan la linfa en una sola dirección, hacia el corazón. Esta linfa circula poco a poco por vasos linfáticos cada vez más grandes y pasa a través de unas estructuras pequeñas en forma de nódulos (como "aceitunas"), llamadas "ganglios linfáticos". Los ganglios linfáticos filtran las sustancias dañinas para el cuerpo y contienen linfocitos y otras células que activan el sistema inmunitario para combatir las enfermedades.

¿Por qué puede aparecer el linfedema como consecuencia del cáncer de mama? Puede producirse cuando extirpamos los ganglios, ya sea totalmente (tal como ocurre en el vaciamiento axilar) o parcialmente (en el caso del ganglio centinela). El riesgo de linfedema aumenta cuando se administra radioterapia a la altura de la axila. Entonces se puede bloquear o interrumpir el sistema linfático, de manera que se acumula la linfa por debajo de la piel del brazo y de la mano.

Existen varios tipos de linfedema, con síntomas y signos diferentes. En general, se puede hablar de cuatro formas de esta complicación, de menor a mayor gravedad:

→ 1. El primer tipo de linfedema es benigno y dura poco tiempo. Se presenta pocos días después de la cirugía para extirpar los ganglios linfáticos o por lesiones de los vasos linfáticos. El brazo afectado puede aparecer tibio y ligeramente enrojecido, pero no suele doler. Además, suele mejorar una semana después de haber mantenido levantado el brazo afectado y de haber ejercitado los músculos asociados (por ejemplo, abriendo y cerrando el puño).

→ 2. El segundo tipo de linfedema, agudo, se presenta de 6 a 8 semanas después de una operación o durante el curso de la radioterapia. Surge como consecuencia de la inflamación de los vasos linfáticos o de las venas. El brazo afectado está muy sensible, más caliente y enrojecido, de manera que hay que tratarlo manteniéndolo en posición elevada y tomando medicamentos antiinflamatorios.

→ 3. El tercer tipo de linfedema, también agudo, se presenta con frecuencia después de una picada de insecto, una herida, un golpe leve o una quemadura: estos incidentes causan una infección en la piel y en los vasos linfáticos cercanos a la superficie de la piel (linfangitis). El área afectada está muy sensible, caliente y enrojecida y se trata mediante medidas posturales (brazo elevado), vendajes, fisioterapia, antiinflamatorios y tomando antibióticos.

→ 4. El cuarto tipo de linfedema, el más común, se desarrolla poco a poco y empieza a notarse unos meses después de la operación o incluso varios años después del tratamiento contra el cáncer. En estos casos, el brazo aumenta progresivamente de volumen debido a la acumulación de linfa y la paciente experimenta una incomodidad y pesadez crecientes. Este linfedema suele evolucionar hacia la invalidez del miembro afectado, una invalidez causada por las dimensiones que ha alcanzado el linfedema, por la limitación de movilidad que ocasiona o por los frecuentes episodios de linfangitis (infecciones de la piel y del tejido subcutáneo).

Desafortunadamente, el linfedema suele evolucionar hacia el deterioro progresivo que conduce a una cronificación del problema y a una limitación de las funciones del brazo. Es decir, a pesar de realizar un tratamiento adecuado con fisioterapia y rehabilitación, el linfedema raramente se estabiliza, reduce o remite.

De hecho, hasta hace poco años este problema sólo se abordaba con tratamientos conservadores, como los masajes o la colocación de vendajes. Sin embargo, hoy existen nuevas técnicas quirúrgicas disponibles con resultados esperanzadores. Se trata de opciones sofisticadas y que requieren de gran experiencia en microcirugía para practicarlas pero que, a la vez, son muy poco complejas para las pacientes. Es decir, por un lado, precisan de cirujanos bien preparados y centros con una tecnología avanzada y, por otro, son poco agresivas para la anatomía de las pacientes, que se recuperan de estas cirugías con rapidez y facilidad. En este sentido, hay que destacar dos técnicas principales:

→ 1. **Transferencia ganglionar microquirúrgica.** Consiste en extraer ganglios sanos con vasos sanguíneos de una parte del cuerpo donde resulten prescindibles, como la zona superficial de la ingle, y trasladarlos a la axila mediante microcirugía. Así se restituyen los ganglios extirpados en el vaciamiento ganglionar (tratamiento contra el cáncer) que, una vez trasplantados en la axila, generan una nueva red de vasos linfáticos (linfogénesis): esa nueva red conecta la red linfática del brazo con los nuevos ganglios y permite vaciar la linfa a través de ellos. De este modo se reduce la linfa acumulada y se crea un nuevo sistema de drenaje linfático. En cuanto a la cirugía, que se lleva a cabo bajo anestesia general, dura entre 4 y 5 horas y requiere que la paciente permanezca hospitalizada 3 o 4 días.

→ 2. **Derivación microquirúrgica linfático-venosa.** Consiste en unir los vasos linfáticos superficiales (que están justo bajo la piel) con las venas subdérmicas del brazo afectado mediante técnicas de supramicrocirugía, a través de unos pequeños cortes en la

Transferencia ganglionar mediante microcirugía

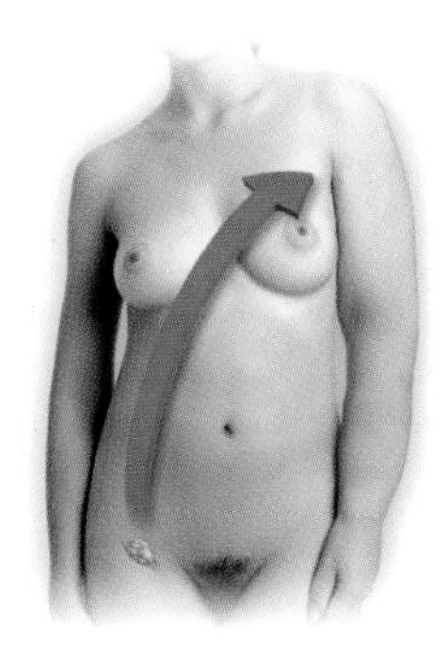

1. Ganglios inguinales superficiales

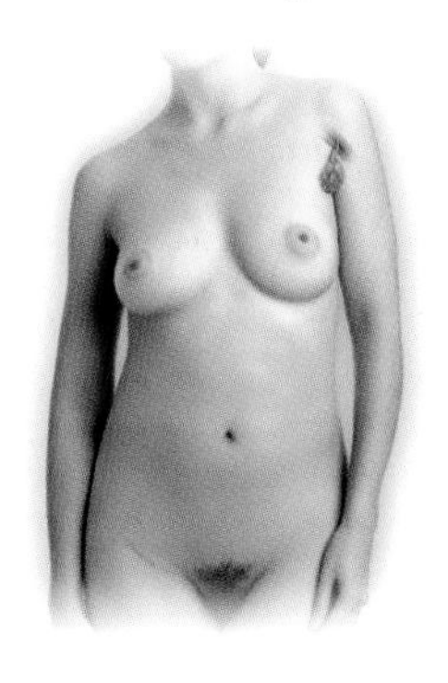

2. Ganglios inguinales transferidos a nivel superior

Técnica de la unión linfaticovenosa

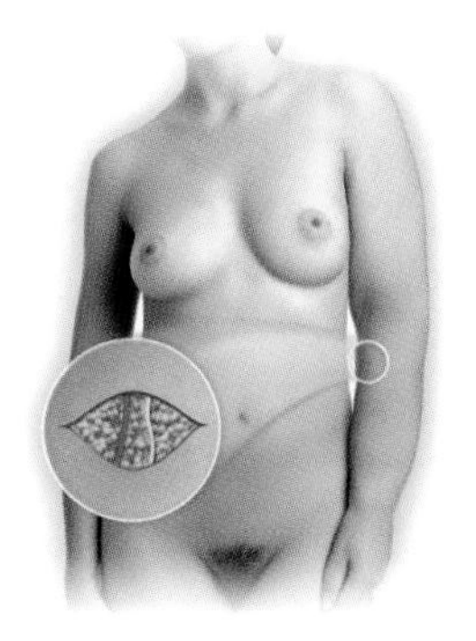

1. Incisión cutánea en brazo con lindefema

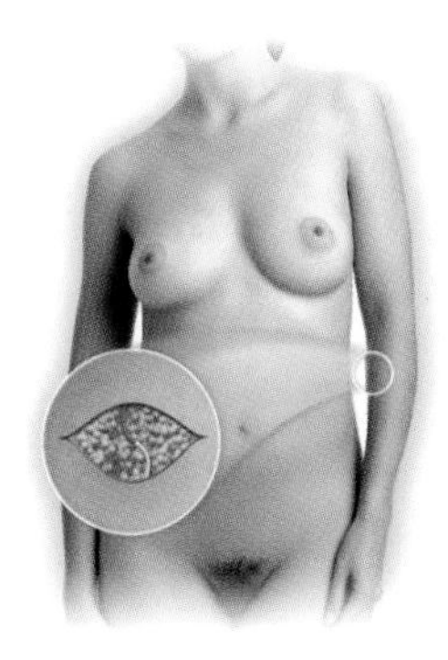

2. Unión linfático-venosa subcutánea

piel (de alrededor de 1 centímetro de longitud). De este modo, se descarga el linfedema, ya que la linfa se deriva desde el sistema linfático hacia las venas superficiales. Esta segunda opción, que se puede realizar con anestesia local, requiere 1 día de ingreso hospitalario para la paciente.

Tras estas intervenciones, las pacientes deben someterse a un programa de fisioterapia y rehabilitación de varios meses de duración.

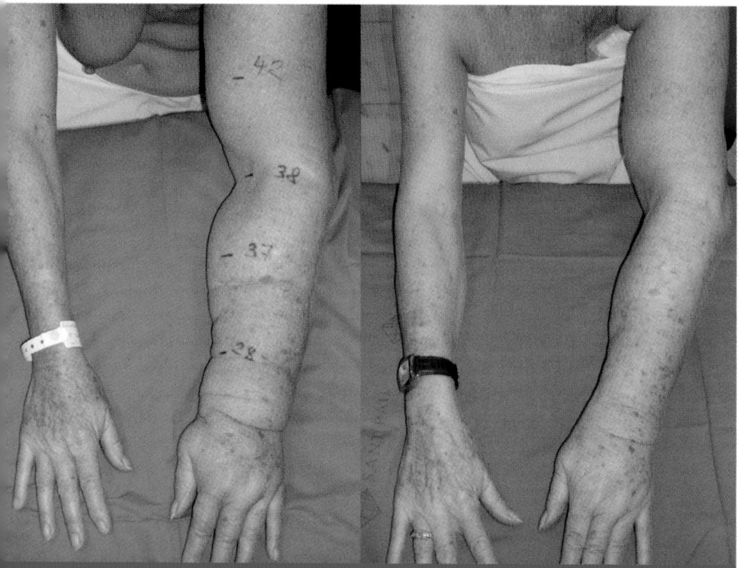

Antes y después del linfedema

Resultado a los 2 años de evolución tras una transferencia ganglionar microquirurgica.

En síntesis, se trata de técnicas novedosas, desarrolladas hace sólo unos pocos años en Francia y Japón respectivamente, que ofrecen resultados satisfactorios y una mejoría considerable en todos los casos. Por supuesto, cada paciente suele responder de modo diferente a estas cirugías según el tiempo durante el cual haya padecido el linfedema, el grado de fibrosis que haya desarrollado o el número de episodios previos de linfangitis. En la gran mayoría de los casos suele ser suficiente con un tratamiento, aunque en determinadas pacientes con linfedemas de larga evolución hay que combinar ambas técnicas para obtener el mejor resultado posible.

Es importante intervenir el linfedema cuanto antes, a poder ser durante el primer año, cuando aún no se ha instaurado y no hay fibrosis residual, pues así se obtienen resultados más satisfactorios.

El futuro de la reconstrucción mamaria

Este último apartado no pretende ser un ejercicio de futurología sobre la reconstrucción mamaria, ya que los médicos deben centrarse en las expectativas reales para las pacientes. Sin embargo, sí se puede hablar de las tendencias actuales que marcan lo que acontecerá en el futuro próximo.

Tal como se ha recogido en todo este segundo bloque del libro, la reconstrucción mamaria tiende a trabajar con el método de la restitución fisiológica, es decir, a utilizar el tejido propio de la paciente para conseguir resultados naturales y definitivos. Para ello, los cirujanos plásticos deben tener una formación muy específica para manejar con seguridad las técnicas que permiten transplantar tejidos de una parte a otra del cuerpo. Esa formación es también la que permite estudiar correctamente a cada una de las pacientes para seleccionar la mejor área donante de tejido en cada caso (abdomen, nalgas, espalda...). Sólo así se consigue la excelencia en cada reconstrucción.

En este contexto, no hay duda de que el DIEP y el SIEA son las técnicas que ofrecen mejores resultados para la reconstrucción total de la mama. Otra situación es la de las reconstrucciones parciales de mama. Aquí, por un lado, están las pacientes con pechos grandes y, para ellas, la mejor opción son, sin duda, las técnicas de reducción y/o elevación del pecho practicadas con criterios oncoplásticos. Por otro lado, en las mamas pequeñas, una buena técnica de reconstrucción parcial es la del injerto graso mediante el ya explicado método del *lipofilling*, también lipoestructura o células madre adiposas (método de Coleman). En todo caso, otra de las tendencias claras actuales es la de personalizar estas técnicas para cada paciente hasta el punto, incluso, de combinarlas para lograr el nivel de excelencia deseado. Así, por ejemplo, cada día resulta más frecuente utilizar el injerto graso para optimizar los resultados de una reconstrucción mamaria con un DIEP o SIEA.

Por todo ello, se puede afirmar que hoy se dispone del conocimiento y las técnicas adecuadas para alcanzar los objetivos de la reconstrucción mamaria y cubrir las expectativas de las mujeres afectadas por el cáncer de mama. No obstante, aún hay que realizar un esfuerzo para informar sobre esas técnicas, de modo que las pacientes puedan elegir con libertad la opción de reconstrucción mamaria más adecuada.

Dentro de las tendencias para el tratamiento integral del cáncer de mama, hay que tener en cuenta que no sólo aparece aquí la reconstrucción del pecho tras la mastectomía, sino también la recuperación de las secuelas que deja la cirugía conservadora de mama y las complicaciones tan invalidantes como el linfedema. Todas estas necesidades merecen que la medicina haga un gran esfuerzo para seguir minimizando sus consecuencias y para mejorar la calidad de vida de las pacientes con cáncer de mama.

> Hay signos de esperanza y optimismo porque la inquietud científica de los cirujanos plásticos está siempre viva y activa. Eso explica que continuamente aparezcan nuevas técnicas o modificacionesde las ya existentes que ayudan a superar las metas logradas.

Por supuesto, el mayor logro para la medicina se dará el día en que los cirujanos plásticos no deban preocuparse por la reconstrucción mamaria, porque el cáncer de mama estará totalmente controlado.

←←←

_La vida después del cáncer de mama

"Nunca se da tanto como cuando se dan esperanzas."

Anatole France (1844-1924), escritor francés

"¿Me preguntas por qué compro arroz y flores?
Compro arroz para vivir y flores para tener algo por lo que vivir."

Confucio (551-478 a.C.), filósofo chino

_Introducción

No quería ni podía concluir este libro sin que en él tomaran la palabra las mujeres que, con nombre y apellidos, han vivido el cáncer de mama y, sobre todo, las mujeres que han vivido más allá del cáncer de mama. Forman parte de ese porcentaje de pacientes que ha atravesado la enfermedad, una de cada diez, pero que nunca había pensado en tener que enfrentarse a ella. Forman también parte de esas mujeres que la han superado y que han podido recibir un tratamiento integral en el que se incluye la reconstrucción de la mama con la técnica del DIEP, la opción quirúrgica más avanzada, aunque hayan llegado a esa reconstrucción a través de circunstancias y planteamientos muy diversos entre sí. Estas mujeres han recorrido todo el camino posible: desde la ansiedad o la incredulidad ante el primer diagnóstico de cáncer, pasando por el impacto de la mastectomía y otros tratamientos para controlar el tumor, hasta la recuperación de su vida cotidiana y sus expectativas de futuro después de reconstruirse el pecho.

Quizá sería más exacto decir que estas mujeres han recorrido todos los caminos, ya que ninguna de sus historias y vivencias es igual a las demás. Estamos ante mujeres de edades diferentes, situaciones familiares y profesionales diferentes, carácteres diferentes, historiales clínicos diferentes... Mujeres a las que el cáncer de mama afectó, física y anímicamente, de forma diferente. Mujeres que contaron con grandes apoyos durante la enfermedad y otras que sintieron el peso de la soledad. Mujeres que pudieron cerrar esta experiencia en poco tiempo y otras que, por desgracia, lucharon durante años, no sólo contra la enfermedad y los contratiempos, sino también contra la falta de información o, incluso, la atención médica no del todo idónea en su caso. Mujeres que decidieron cerrar el círculo con una reconstrucción mamaria desde sentimientos, ilusiones y experiencias diferentes. Narradas en primera persona, sus historias se alejan de los tecnicismos que a veces los médicos nos vemos obligados a utilizar, de la asepsia y la falta de calidez humana que en ocasiones reina en los quirófanos y en el anonimato estadístico. Reflejan con gran fidelidad qué les sucede a las pacientes durante y después del tratamiento del cáncer de mama y cómo viven interiormente su completa recuperación. Por eso, sus testimonios pueden dar esperanza, o al menos acompañar, a las mujeres que se han hallado o se hallan en una situación similar. Y esa ilusión y esa compañía se cuentan entre los mejores regalos que podemos dar a las personas que luchan contra el cáncer de mama y sus secuelas.

“La vida no se detiene con el cáncer, hay que seguir adelante.”

Patricia Pérez - Barcelona - 36 años
Divorciada - Una hija de 8 años
Cirugía de reconstrucción en mama izquierda
y elevación en mama derecha.

→→→

"NO ME IMPORTA CONTAR LO QUE HE VIVIDO, PORQUE ME AYUDA A RECORDAR UNO A UNO LOS DIFERENTES MOMENTOS DE ESTE PROCESO Y, ADEMÁS, PORQUE HABLAR DE ESTE TEMA SUPONE DESDRAMATIZARLO Y DAR ESPERANZAS A OTRAS MUJERES QUE SE ENCUENTRAN EN MI SITUACIÓN. RESULTA IMPORTANTE QUE LA GENTE ABRA LOS OJOS Y SEA CONSCIENTE DE QUE EL CÁNCER DE MAMA ES UNO DE LOS QUE PRESENTAN MAYOR ÍNDICE DE MORTALIDAD ENTRE LAS MUJERES, PERO TAMBIÉN QUE RESULTA FÁCIL DE ATAJAR CON UN DIAGNÓSTICO TEMPRANO."

Así de clara y positiva se muestra Patricia, que relata su experiencia mientras su hija Julia interviene de vez en cuando en la conversación y juega por la casa. Los niños –en eso no se diferencian de los adultos– aceptan bien la verdad cuando no se le añade dramatismo y cuando no se les excluye de ella. "Julia ha convivido con mi enfermedad desde el primer momento y sabe que mis cicatrices –que ahora casi sólo se ven en el abdomen– son consecuencia de la mastectomía y de la posterior reconstrucción de la mama izquierda. No le he explicado qué es el cáncer de mama con las mismas palabras con las que se lo explicaría a un adulto, pero tampoco le he ocultado que yo –su madre– estaba enferma. Y, por supuesto, con la misma naturalidad, siempre le dije que iba a curarme."

Cuando a Patricia le diagnosticaron un cáncer de mama, Julia tenía apenas 3 años y ella, 30 recién cumplidos. Era el mes de enero de 2002 y Patricia notó un pequeño bulto en el pecho mientras se vestía para ir al trabajo. Sin embargo, no se le pasó por la cabeza que pudiera tener un cáncer: era joven, había dado el pecho a su hija y carecía de antecedentes familiares.

Primer contacto con la enfermedad

"En ningún momento imaginé que pudiera tratarse de un tumor maligno, aunque sí llamé al ginecólogo para concertar una revisión y le expliqué el motivo. Me dijeron que me darían la cita para finales de julio y deduje que no les parecía importante y que no había prisa. Si ellos no se preocupaban por examinar con rapidez ese bulto, mucho menos iba a preocuparme yo." Esta barcelonesa decidió relajarse y esperar a que pasara el tiempo hasta esa visita con el especialista. Pero el azar hizo que en su camino se cruzara una médico de cabecera a la que Patricia acudió para curarse de un resfriado. Dicha doctora consideró que era demasiado esperar más de seis meses para realizar una mamografía y pidió que le adelantaran la prueba. "En la mamografía se veía el mismo bulto que yo me había notado. Me comunicaron que necesitaba una ecografía para tener claro qué era ese bulto y que, si ahí no se veía nada, habría que hacer una biopsia."

Quería quedarme quieta y esperar los acontecimientos. Pensaba que si lograba no moverme, al final acabarían por pasar de largo sin afectarme

Como los resultados de la biopsia tampoco fueron concluyentes, se decidió practicarle una punción, una prueba algo más molesta que las anteriores. Habían pasado varios meses y varias pruebas, pero Patricia continuaba haciendo vida normal y, quizá como resultado de un mecanismo de autodefensa, seguía sin plantearse que aquel pequeño bulto pudiera ser un cáncer de mama. Patricia trabajaba entonces en una inmobiliaria, de la que era socia. Un día, mientras acudía a reunirse con un cliente, recibió una llamada de su médico de cabecera para que acudiera inmediatamente a la consulta. "Cuando intenté aplazar esa cita porque tenía mucho trabajo, por toda respuesta obtuve un 'Patricia, haz el favor de dejar lo que estés haciendo y ven ahora mismo a la consulta'. Fue entonces cuando me preocupé y, mientras acudía al médico, telefoneé a mi marido, mi madre, mi socio y mis amigos. Fue entonces cuando empecé a pensar que aquel bulto de grasa podía ser algo más complicado."

"Patricia, tienes cáncer"

La doctora comunicó a Patricia que debía acudir esa misma mañana al hospital donde un ginecólogo le haría una nueva revisión y le informaría de los resultados de la punción por la cual le habían extraído tejido del bulto en el pecho. Ese ginecólogo fue quien le comunicó el diagnóstico: un tumor intraductal in situ que debía operarse en quince días.

"Parece mentira pero mi cabeza se cerró y pensé: 'Sólo tienen que de operar y ya está. Hay que extirpar un bulto, nada de lo que preocuparse. Qué rápido, en quince días'. Tuvo que ser mi socio, que me había acompañado a la consulta, quien, con la cara muy pálida, me hiciera caer en la cuenta de lo que me habían dicho. De hecho, cuando le pregunté de nuevo al doctor cuál era el diagnóstico, sólo se me ocurrió decir que no podía ser cáncer, que las pruebas estaban equivocadas." Patricia entró en el quirófano sin haberse hecho aún a la idea de que tenía un tumor maligno. Además, la operación –practicada por un ginecólogo– no resultó de las más sencillas. El médico no logró localizar el ganglio centinela, a pesar de que se utilizó tanto líquido de contraste que hubo que finalizar la intervención antes de lo previsto por miedo a que Patricia sufriera una reacción a dicho líquido o a la anestesia. "Debido a esas prisas, las cicatrices no acabaron de ser demasiado delicadas."

El espejo, un ancla hacia la realidad

Pocos días después y ya en casa, Patricia se dispuso a quitarse el vendaje para hacerse las primeras curas. Las cicatrices la impresionaron fuertemente. "Al verme pensé que mi pecho ya no era mi pecho, sino un trozo de carne muerto, lleno de cicatrices, con grapas enormes a los lados... Lo peor fue que tras las primeras pruebas, me anunciaron que todavía no habíamos acabado, que los márgenes no estaban limpios y había que volver a abrir."

¿Qué idea o ideas te ayudaron a mantener la mente ocupada durante la enfermedad?

Me volqué en preparar la boda con mi pareja.

Patricia ya no se sentía como aquella chica que, sólo unos meses atrás, no quería comprender el diagnóstico. Sabía perfectamente ante qué se enfrentaba y las cicatrices en el pecho se lo recordaban a diario. Por eso, en lugar de someterse a la siguiente operación con su ginecólogo, optó por buscar otro cirujano.

Quería evitar marcas como las que ya tenía. "Acerté con esa decisión porque, aunque el cirujano tuvo que ampliar los márgenes para controlar el tumor y reducirme algo más el pecho, me dejó una sola cicatriz". Una sola cicatriz y parte del pecho. El cirujano le había propuesto realizar una mastectomía radical, pero Patricia prefirió mantener una parte de la mama y aceptar la posibilidad de que podía necesitar tratamiento posterior, como quimioterapia o radioterapia.

"Era consciente de que un pecho no sirve de nada, pero lo relacionaba enormemente con mi feminidad y no estaba dispuesta a perder esa feminidad en un quirófano. Sentí que era tan importante mantener el pecho, como podría haber sido mantener una pierna o un brazo. Era muy joven y no quería pasar por esa experiencia. Me importaba sentirme mujer y ser mujer para mí era todo un conjunto del cual el pecho formaba parte. No había discusión posible."

Cuando decidiste optar por la reconstrucción, ¿se presentaba alguna imagen de forma recurrente en tu mente?

Hacer *top-less* en la playa con mi hija.

Frente a una vida nueva

Después de esa segunda intervención y unas pequeñas dosis de radioterapia, los médicos comunicaron a Patricia que estaría preparada para someterse a una reconstrucción del seno pasados ocho meses. Prefirió dejar pasar un año para evitar complicaciones. En ese momento, otra nueva sorpresa desordenó su vida: su marido quería separarse. "Dijo 'hasta aquí he llegado, me bajo de este barco porque ya no puedo más'. Y así lo hizo." Tampoco desfalleció en esa ocasión. Siguió hacia delante aunque, una vez superada la cirugía, empezaba a plantearse todo lo que podía haber sucedido y a ver la realidad que, quizá, quienes la rodeaban ya comprendían desde el inicio. Por eso, Patricia pensó en acudir a una asociación de mujeres afectadas por cáncer de mama, para conocer a otras mujeres que hubieran pasado por lo mismo o, simplemente, para compartir diferentes puntos de vista.

"Cuando llegué, me encontré gente totalmente derrumbada y estancada en la desgracia, en el por qué a mí o en el qué he hecho para merecer esto. Pero es que no hay un porqué. El cáncer es caprichoso. Le toca a quien le toca, sin motivo ni justificación y, desde luego, sin culpas de nadie. Sin embargo, en la asociación me sentí incómoda. Había un exceso de proteccionismo, como si las afectadas tuviéramos un sello en la frente que dijera 'pobrecitas, han sufrido cáncer de mama'. Pensé que mi sentido positivo y yo poco teníamos que ver con ellas."

No volvió a acercarse al local. Sin embargo, la procesión iba por dentro. A pesar de continuar trabajando, de llevar a su hija al colegio y de mantener la sonrisa a diario, Patricia apenas salió de casa durante más de un año. "Tenía fobia a la gente y miedo a todo. Me atemorizaba pensar que no había un futuro, que había un mañana pero no un futuro. Tenía miedo de no estar en ese futuro."

El valor de un buen facultativo

Tuvo que pasar ese año hasta que, en el despacho de abogados en el que trabajaba, le recomendaron un cirujano y decidió reconstruirse el pecho. "En ningún momento pensé que el cirujano elegido no fuera capaz de hacer bien su trabajo. Mi única meta era verme como antes y él me aseguró que no habría ningún problema." La realidad fue muy distinta. La cirugía reconstructiva de mama exige ponerse en manos de cirujanos que conozcan los problemas derivados de los tratamientos oncológicos y que, por tanto, sepan que "no se puede poner una prótesis en un pecho radiado, porque la carne está quemada y no la aguanta".

Aunque eso pudiera suponer seguir con la espada de Damocles encima, me era inconcebible vivir sin un pecho

Cuando surgieron los primeros problemas derivados de la intervención, el médico le propuso volver a operarla. Al concluir esta segunda cirugía, el médico se marchó de vacaciones, pero Patricia no se encontraba bien y le salía líquido del pecho debido a una infección derivada de la cirugía. De nuevo en la consulta, el cirujano no prestó demasiada atención a esos problemas, hasta que las molestias, la fiebre y una pequeña perforación por la que salía la prótesis hicieron que Patricia se atreviera a hablar con una amiga. Ésta la obligó a pedir hora inmediatamente con otro especialista.

"No quería creer lo que estaba pasando. Había puesto mi esperanza en esa operación. Quería volver a ser la misma mujer que había sido antes. Nunca se me pasó por la cabeza que alguien pudiera hacer mal su trabajo o no asumir que se había equivocado. No entendía cómo el médico no había rectificado de inmediato con algo tan serio como la salud."

Paso a paso hacia la recuperación

Patricia entró así en contacto con la Clínica Planas y con el doctor Jaume Masià, quien, tras la primera visita, le informó de que debían proceder paso a paso para limpiar y regenerar la zona del pecho. Lo primero era quitar la prótesis del pecho izquierdo, el infectado, y después retirar la prótesis del otro para corregir la asimetría antinatural entre ambos senos. Por primera vez, Patricia se desanimó profundamente y sufrió un ataque de ansiedad. Todo lo que no había conseguido el cáncer, ni las intervenciones, ni el tratamiento, lo conseguía la mala praxis de un médico.

"El doctor Masià me dijo que no sabía si podría reconstruirme el pecho después de limpiar la infección y pensé que se había acabado, que toda la lucha no había servido para nada. No obstante, decidí seguir adelante con la operación de limpieza y, después, con una segunda operación para retirar la prótesis del pecho sano."

"En ese proceso hubo un momento en que mi pecho derecho tenía una talla cien y el izquierdo estaba completamente plano. A pesar de ello, me vestía con jerséis ajustados. Había decidido que yo era así y que no tenía ningún motivo para ocultarme."

Tras la operación de reconstrucción, ¿pensaste en las cosas que no podrías hacer de no haberte sometido a ella?

Hacer *top-less*, mostrarme desnuda ante un hombre o contemplarme en el espejo.

Estos cuatro años y medio han hecho que valore más el hoy. Para mí, el futuro no existe, existe el presente

Los amigos, un apoyo en la reconstrucción

Aunque Patricia había seguido trabajando todo el tiempo y se había esforzado por mantener el ánimo positivo, existía una parcela de su vida por resolver. "Seguía sin salir de casa por la noche, sin alternar, sin irme de copas. No me veía capaz de entablar relaciones con un hombre. Pensaba que, si lo hacía, lo normal era que acabara por poner sus manos en mi pecho y ¿qué pasaría entonces? ¿Qué tenía que decir o hacer?"

La solución llegó en diciembre. Tras estudiar mi anatomía con un TAC de última generación, en la Clínica Planas me aconsejaron reconstruir el pecho mediante la técnica DIEP y me dijeron que podían realizar las pruebas previas a dicha intervención cuando yo quisiera. "No lo pensé dos veces. Ni siquiera me planteé el problema que había tenido con la reconstrucción anterior. Había recuperado la confianza en los médicos con las dos intervenciones de limpieza. Tenía claro que si me llamaban era porque se podía hacer." Los amigos la animaron e, incluso, reunieron dinero para ayudarla a sufragar los costes de la operación. "Nunca he sido una mujer que haya recurrido a los demás ante los problemas, pero siempre he sabido que mis amigos estaban allí y así fue en esa ocasión."

Un cambio de mentalidad

"Lo más gracioso fue la primera advertencia del doctor Masià: '¡Engorda!'. Como siempre he estado delgadita, necesitaba tener algo de grasa en la barriga para poderme hacer la reconstrucción con DIEP sin problemas. Pero, entre la ansiedad y los nervios, no había forma de engordar." El esfuerzo valió la pena. Al día siguiente de la operación, Patricia vio debajo de las gasas los volúmenes que correspondían a sus pechos y lloró de emoción. "Volvía a tener pechos y me sentía mujer otra vez. Sé que tener pecho puede parecer poco importante, pero para mí sí lo era y mucho. Es más importante lo que tú ves de ti misma que lo que otros ven." Pero para Patricia éste no es el único gran cambio después de su batalla para volver a sentirse como antes del cáncer de mama. "Además, al acabar todo este proceso, me di cuenta de que había cambiado mi forma de pensar. Estos cuatro años y medio han hecho que valore más el hoy. Y, como consecuencia de eso, vivo el momento."

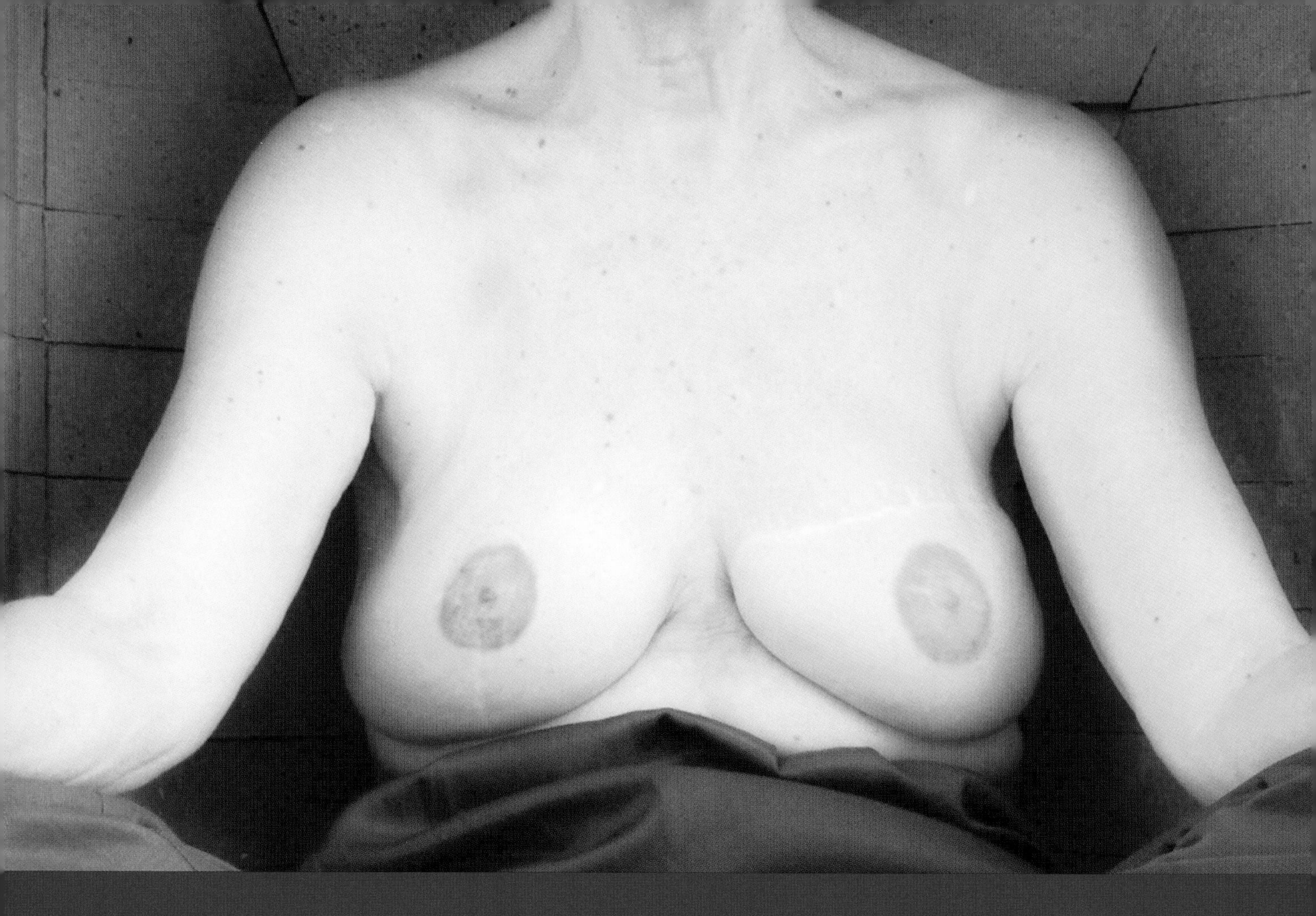

“En la lucha contra el cáncer, la preocupación inmediata es curarse, pero ahora veo como un acierto todo aquello que ayude a paliar las secuelas de esta enfermedad.”

Sara Puig - Barcelona - 66 años
Casada - Sin hijos - Reconstrucción bilateral diferida en la mama izquierda e inmediata en la mama derecha

SARA PUIG PARECE UNA MUJER TRANQUILA Y SONRIENTE Y, AUNQUE CONFIESA QUE NO LE APETECE HABLAR DEMASIADO DEL CÁNCER DE MAMA, HA ANOTADO EN UNA LIBRETITA LA NARRACIÓN ORDENADA Y MINUCIOSA DE TODO CUANTO LE HA SUCEDIDO Y DE CÓMO SE HA SENTIDO EN CADA MOMENTO. ELLA ERA DE ESAS MUJERES RESPONSABLES QUE SIEMPRE HABÍA ACUDIDO A LAS REVISIONES GINECOLÓGICAS ANUALES Y QUE SIEMPRE HABÍA RECIBIDO RESULTADOS NORMALES, ASÍ QUE NADA HACÍA PRESAGIAR QUE LE DARÍAN UNA NOTICIA QUE CAMBIARÍA SU VIDA DE UN DÍA PARA OTRO.

"Desde que cumplí 40 años me he hecho revisiones periódicas, mamografías, citologías Papanicolau... Es decir, todas las pruebas que mi ginecólogo consideraba necesarias. Nunca había tenido ningún susto en este sentido. Generalmente iba sola a las visitas médicas pero, cuando una tarde de verano del año 2002 el ginecólogo me envió a que me hicieran una mamografía, pedí a mi marido que me acompañara. No sé explicar la razón. Algo me rondaba desde hacía días –ya sé que no suena muy científico...– e intuía que debía ir acompañada. Estaba atravesando una mala época, algo baja anímicamente, y quizá fuera una señal de lo que le sucedía a mi cuerpo, menos en forma de lo habitual."

Aquella intuición resultó acertada. Tras la exploración y la mamografía, el radiólogo le anunció que quería repetir la prueba porque los resultados no eran claros. Mientras su marido apenas reaccionó, Sara lo hizo de inmediato y, al salir de la consulta, telefoneó a su ginecólogo de toda la vida para contarle lo que acababa de escuchar de labios del radiólogo. "Una tiene que ser resolutiva en estos casos." Poco después, Sara se enteraba de que tenía un carcinoma lobulillar en la mama izquierda.

La vida está llena de casualidades. Al regresar a casa ese día, Sara vio en la mesa del despacho una carta que había recibido de su trabajo. En ese documento le comunicaban que era de las pocas docentes que nunca se había acogido a una baja por enfermedad en toda su trayectoria profesional. Lo releyó con una sonrisa pero ni siquiera entonces pensó que su vida iba a experimentar un cambio radical.

"Estaba bastante bloqueada. Ni siquiera sabía qué tenía que hacer a nivel práctico o a qué centro debía acudir. Fue mi ginecólogo quien gestionó todo el tema administrativo y solicitó el ingreso en el Hospital de Sant Pau. Sólo le pregunté una vez si podía ser una buena idea buscar un centro privado en lugar de acudir a un hospital público, ya que ésta es una de las preguntas que los enfermos solemos plantearnos. En cambio, mi ginecólogo me respondió: 'No hace falta que vayas a otro sitio, ni que cambies de ciudad. Si creyera que existe alguna diferencia con otro centro, o que el tratamiento iba a ser distinto, te lo diría'. A partir de ahí confié plenamente en todas sus decisiones y no volví a cuestionarme nada."

"Le aconsejo una mastectomía radical"

Pasaron los días y las pruebas, hasta que el oncólogo aconsejó a Sara que se sometiera a una mastectomía radical, como el sistema más adecuado para evitar que la enfermedad pudiera extenderse con el tiempo.

"Me dijo que se había reunido con el 'Comité de mamas' y lo primero que pensé fue que era muy curioso que hubiera comités con un nombre así, aunque tenía sentido. Todos los médicos implicados, los de oncología, ginecología y los cirujanos, contrastaban los diferentes puntos de vista y decidían de forma consensuada qué había que hacer con cada una de las pacientes. Así, el diagnóstico y el tratamiento eran decisiones conjuntas, con menor margen de error."

Como era verano, a mediados de julio Sara se planteó si necesitaba correr y entrar en quirófano de inmediato o si, por el contrario, podía disfrutar de ese último verano tal como lo había programado con su marido. Cuando el médico le explicó que podía esperar, se dio cuenta de lo importante que era para ella seguir adelante con sus planes de vacaciones. "Creía que me iba a beneficiar pasar unos días, como siempre, paseando por la montaña, y bañarme, con los dos pechos, en el mar, aunque fuera por última vez. Creía que ésa era la mejor forma de asimilar el resto de los cambios a los que tendría que enfrentarme a partir de septiembre."

¿Qué idea o ideas te ayudaron a mantener la mente ocupada durante la enfermedad?

La participación en el movimiento contra la guerra de Irak y, fundamentalmente, escuchar música.

Conforme pasan los días y conforme entras en el tratamiento y la cirugía, notas que la enfermedad te va sobrepasando y que, justo por eso, no puedes permitirte el lujo de detenerte y deprimirte en algún momento. Sabes que tienes que tirar adelante y no piensas en otra cosa

Tras las vacaciones, la cirugía

La operación de mastectomía de la mama izquierda se preparó entonces para septiembre. Las pruebas médicas ya habían descartado que hubiera algún tipo de anomalía o afectación en la mama derecha, pero Sara empezaba a sentirse sobrepasada por la situación.

Durante la corta estancia en el hospital, además de la mama izquierda, a Sara le extirparon los ganglios. "Somos hijas de nuestro tiempo. Seguramente, si mi operación se hubiera realizado ahora y no en el año 2002, no me los hubieran quitado. Por un lado, resultó que no estaban afectados y, por otro, tuve que afrontar una serie de secuelas derivadas de su extirpación."

Al regresar a casa –con los drenajes, las grapas, las vendas...– y al verse sola y desnuda por vez primera frente al espejo, empezó a llorar. Entonces sí se dio cuenta de que había empezado a recorrer un camino del cual, de momento, no vislumbraba el final.

El tesoro de la amistad

No resulta fácil asumir un diagnóstico de cáncer y, de hecho, en no pocos casos, los enfermos tienden a ocultar lo que les ocurre.

A Sara le sucedió todo lo contrario. Su marido y sus amigos se convirtieron en un puntal. Se sentía arropada y podía compartir con ellos cuanto le pasaba.

"Hasta que no sucede algo como el cáncer de mama, no te das cuenta de lo importante que son los amigos, ni de la capacidad que tienen para organizarse sin que nadie les diga lo que hace falta. En mi caso, en cuanto supieron que iba a estar ingresada, hicieron turnos de forma natural, de manera que estuve en todo momento acompañada, sobre todo por mis amigas."

Además, ya fuera del hospital, una persona se convirtió en una pieza clave en la vida de Sara: una mujer que trabajaba en su casa desde hacía más de quince años y que se encargó, con el ánimo resuelto, de hacerle más llevadera su enfermedad y de evitar que se deprimiera.

"Es fundamental tener alguien a tu lado porque, en esa situación, dejarías de hacer hasta las cosas necesarias. No te apetece cocinar y no toda la comida te sienta bien. Tampoco tienes ganas de ir a la compra, ni de salir a la calle o de dar un paseo. A veces ni siquiera tienes ánimo para tomarte los medicamentos. Pero esta mujer no descansó, tuvo una paciencia infinita conmigo. Poco a poco logró que fuera comiendo e incluso acabé por engordar."

Doble cambio en el cuerpo

El tratamiento para controlar el cáncer de mama no siempre concluye tras la cirugía y el postoperatorio en casa. A veces, la paciente debe enfrentarse a la radioterapia o a la quimioterapia como terapias complementarias. Ahí arranca una segunda fase en la que la mujer aún no está curada por completo, y en la que las dosis de medicamentos y los nuevos tratamientos dejan sus defensas bajo mínimos y modifican aún más su aspecto físico.

"Cuando vi que el pelo se me caía me afectó más de lo que pensaba. Al principio pensé: 'Me pondré un pañuelo', pero acabé utilizando una peluca para salir a la calle."

> No quería quedarme sin pelo y no quería que nadie me viera sin él. Al final decidí que utilizaría gorros cuando estuviera en casa y que me compraría una peluca para salir a la calle

Además, Sara considera que la mayoría de las tiendas relacionadas con prótesis médicas están revestidas de una especie de halo sombrío.

"Ver las pelucas y las prótesis mamarias me deprimía, aunque siempre fui consciente de que vivía una situación privilegiada. Todo había salido bien, sin complicaciones, y sabía que la vida no residía en el aspecto físico sino en la salud."

La vida sigue... aunque de otro modo

Cuando decidiste optar por la reconstrucción, ¿se presentaba alguna imagen de forma recurrente en tu mente?

No encontrarme con la imagen de mutilación que genera la mastectomía y no tener que estar pendiente de ponerme ningún tipo de relleno en el pecho.

Con la peluca, los gorros de quita y pon, una prótesis de silicona para completar en el sujetador el hueco dejado por la mama izquierda... Sara empezaba a vivir una situación que se acercaba a la normalidad. No obstante, nuevos obstáculos se interpusieron en el proceso. Cuando creía que podía regresar al trabajo y que lo peor había pasado, las sesiones de quimioterapia la dejaban tan agotada que no tenía fuerzas para nada, ni siquiera para coger un libro y mucho menos para leerlo. Ese agotamiento la sumió en un estado anímico depresivo. Sólo logró salir de esa apatía participando en las manifestaciones y las convocatorias que se organizaron en aquel momento contra la guerra de Irak.

"De pronto eso me dio los ánimos que necesitaba para salir de casa. El conflicto en Irak me rebelaba y me hacía salir a la calle. Luego, una vez en casa, la alternativa a la lectura (solamente leía el periódico) fue la música. Escucharla me reconfortaba mucho."

Tras año y medio, una mastectomía profiláctica

Poco a poco disminuyeron las reacciones negativas a la quimioterapia, retornaron las fuerzas, las cicatrices se normalizaron, el apetito y las ganas de salir regresaron... Progresivamente Sara asumía su nuevo estado y se veía recuperada. Sin embargo, año y medio después del primer diagnóstico, los patólogos se preocuparon por una especie de pequeñas calcificaciones que detectaron en una nueva revisión ginecológica. A partir de ahí le recomendaron que se hiciera una mastectomía de la mama derecha para evitar la posibilidad de que el cáncer también se reprodujera en esa mama.

"Cuando me sugirieron someterme a una mastectomía profiláctica, lo tuve claro. Yo quería vivir. No iba a ser menos mujer por no tener ninguno de los dos pechos si eso iba a permitirme vivir más tranquila y alejada de la enfermedad. Acepté todos los consejos que me dieron los médicos y empecé a hacerme las pruebas necesarias para mastectomizar la mama derecha. Incluso pensé que así me alejaría de la sórdida asimetría que tenía en mi cuerpo tras la primera operación en el pecho izquierdo."

En ningún momento me planteé reconstruirme el seno. No me sentía menos mujer por no tener un pecho, aunque sí es cierto que la asimetría que veía en el espejo no me hacía sentir completamente cómoda

La reconstrucción, una nueva posibilidad

Cuando empezó los preparativos para la segunda intervención, la doctora Alonso, oncóloga del Hospital de Sant Pau en Barcelona, le planteó la posibilidad de aprovechar la entrada al quirófano para hacerse una reconstrucción mamaria doble.

"Hasta ese momento jamás había pensado en reconstruirme. Sólo tenía clara una cosa: que nunca me pondría una prótesis de silicona ya que ese tipo de cirugía nada tenía que ver conmigo. Además, como nunca había tenido demasiado pecho, me parecía algo artificial reconstruir los senos con prótesis. Es más, cuando la doctora me habló de otra técnica diferente, que desconocía y se llamaba DIEP, la deseché de inmediato. ¿Qué necesidad tenía de añadir una nueva cirugía a las que tenía que hacerme por obligación?"

Al contrario que muchas de las pacientes que acuden directamente a una clínica en busca de la intervención de DIEP, angustiadas porque la falta de un seno afecta a su feminidad o les genera una gran insatisfacción, Sara no sentía problemas al respecto. "Por eso dije que no me interesaba de inmediato. En casa, mi marido se mantuvo siempre a mi lado para que yo decidiera lo que deseaba hacer, sin presionarme y respetando mi decisión. Por eso, durante bastantes días, tuve claro que no me sometería a la reconstrucción." Sin embargo, la doctora Alonso insistió de nuevo sin presionarla: "Le aseguro que he visto aquí muchos casos y, a la larga, se alegrará de haberse hecho la reconstrucción". Ahí fue cuando Sara se planteó hacer caso de los profesionales como había hecho con las cirugías y los tratamientos anteriores. "La estética era la menor preocupación de la doctora Alonso, tal como me sucedía a mí. Simplemente me proponía la reconstrucción para que yo me sintiera mejor y eso hizo que confiara en ella. Me dejé llevar."

Tras la operación de reconstrucción, ¿pensaste en las cosas que no podrías hacer de no haberte sometido a ella?

Creo que no tendría tanta naturalidad a la hora de desenvolverme en la esfera personal, familiar y laboral: compartir espacios, ir al mar...

El último paso

Así fue como Sara se convenció para entrar en el quirófano y someterse a una mastectomía de la mama derecha y, a la vez, a una reconstrucción de los dos pechos: 12 horas de intervención en total. Acudió entonces a la consulta del doctor Masià, quien, después de revisar su historial, le sujetó el abdomen con ambas manos y le dijo: "Sí, hombre, un poco de aquí, otro poco de allá, y podemos hacer una doble reconstrucción sin problemas". El entusiasmo del doctor reafirmó su decisión.

"No sabía qué le pasaba al doctor, ni por qué razón examinaba así mi abdomen, ni de qué hablaba. Después, me informaron del tipo de operación al que iba a someterme y de qué parte de la grasa abdominal iba a utilizarse en la reconstrucción de los pechos."

Sara confiesa que se metió de lleno "en este fandango", aunque su única preocupación era no pasar de nuevo por la quimioterapia, evitar que le extirparan más ganglios y, sobre todo, alejar de una vez por todas el fantasma del cáncer.

Por fortuna así fue, algo que Sara cuenta y transmite con gran tranquilidad. "Reconozco que, cuando desperté tras la mastectomía y la reconstrucción, pensé que me había equivocado. Pero hoy me siento más a gusto con mi cuerpo y probablemente no me sentiría igual sin haberme hecho la reconstrucción. Es cierto que, en medio de la lucha contra el cáncer, la preocupación inmediata es curarse. No obstante, ahora, tiempo después, cuando el cáncer queda algo lejos, veo como un acierto todo aquello que ayude a paliar las secuelas de esta enfermedad."

Quería experimentar que tenía una salida hacia la vida y que los pensamientos funestos se alejaban de mí

“Ser médico no te inmuniza contra la enfermedad, aunque te ayuda a comprender qué está pasando a tu alrededor.”

Laura Suárez - Barcelona - 48 años
Casada - Dos hijos, de 8 y 10 años
Reconstrucción inmediata
de la mama izquierda

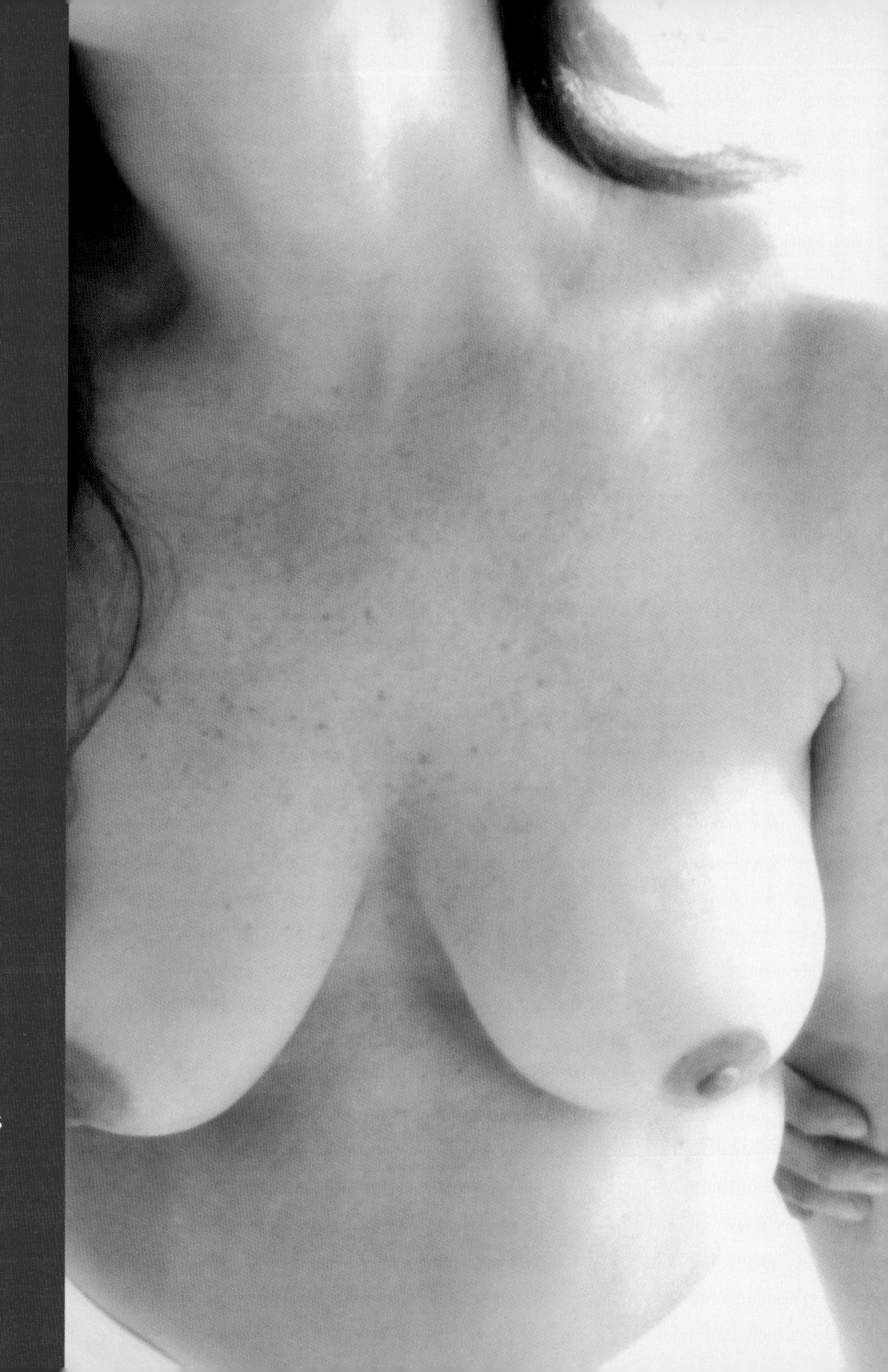

A VECES, EN CASA DEL HERRERO, CUCHILLO DE PALO. ÉSE FUE EL CASO DE LAURA, MÉDICO DE FAMILIA, QUIEN NO ACUDÍA CON LA FRECUENCIA RECOMENDADA A LAS REVISIONES GINECOLÓGICAS. "EN OCASIONES, LOS CONSEJOS QUE DAS A LOS PACIENTES NO TE LOS APLICAS A TI MISMA." LAS ALARMAS SALTARON CUANDO UN DÍA, EN LA DUCHA, NOTÓ UNA DIFERENCIA ENTRE UN PECHO Y EL OTRO. AUNQUE EL BULTITO PARECÍA IMPRECISO, DECIDIÓ COMENTÁRSELO A UNA COMPAÑERA. AHÍ EMPEZARON LAS PRUEBAS QUE CONDUJERON A UN DIAGNÓSTICO TEMPRANO DE UN CÁNCER DE MAMA INTRADUCTAL QUE, EN LA ACTUALIDAD, ESTÁ TOTALMENTE CONTROLADO.

Laura es pequeña, menuda, y conversa con pausa y serenidad. Explica lo que ha vivido y superado con calma y resta importancia a una situación que, en su caso, se resolvió con mayor rapidez que en la mayoría de las afectadas.

"Me exploró un compañero y recomendó realizarme una segunda punción en el Hospital de Sant Pau. Las primeras pruebas –mamografía, ecografía y punción– no resultaban concluyentes y le pareció oportuno contar con una segunda opinión."

¿Qué idea o ideas te ayudaron a mantener la mente ocupada durante la enfermedad?

Ver mi vida como un inmenso regalo, agradecer mi propia historia y la presencia de todos aquellos a quienes quiero y me quieren.

De esta segunda punción llegó el diagnóstico de carcinoma. La oncóloga le dio inmediatamente directrices de cómo debía actuar y le aconsejó seguir los protocolos establecidos para tener todos los datos necesarios acerca de la enfermedad. Médico de profesión, Laura se vio de repente al otro lado de la barrera.

"En la consulta del ambulatorio, había visto en muchas ocasiones los papeles que entregan a las pacientes para explicarles su problema y las diferentes recomendaciones médicas. El hecho de que me los dieran a mí, de verme en el otro lado, me chocó... Y ese día, cuando salí del hospital en dirección a mi casa, contaba con demasiada información. Todo había cambiado en apenas unas horas. A pesar de eso, aún había que realizar más pruebas para obtener datos definitivos, evaluar la realidad de la enfermedad y comprobar hasta dónde había llegado."

"A veces la angustia puede contigo. Necesitas saber, poder controlar lo que te está pasando, pero en muchos casos los procesos no se pueden acelerar, ya que cada una de las analíticas y pruebas necesita su tiempo. Ser médico sólo contribuyó a que supiera esperar los pasos necesarios. No puedes controlar el miedo pero sí puedes asumir mejor los pasos. No obstante, la verdadera tortura era pensar en mis hijos y en que quería vivir a costa de lo que fuera. El resto no me importaba. El miedo a morir es el que más te condiciona."

¿Adquiriste alguna costumbre nueva o incorporaste alguna nueva actividad en tu vida?

Se intensificaron los momentos de silencio y oración. También escribía todo lo que sentía.

Esa misma tarde, al salir del Hospital de Sant Pau, se acercó a casa de sus padres para explicarles por primera vez la situación y para que fueran a recoger al colegio a sus hijos, de corta edad. Mientras tanto, Laura fue a encontrarse con su marido y a exponerle el diagnóstico.

Médico en manos de médico

Aunque Laura es médico de familia, no estaba al tanto de las últimas innovaciones sobre cáncer de mama porque no competen a su especialidad. Por eso, una vez que se puso en manos de la doctora Alonso del Hospital de Sant Pau, decidió que no cuestionaría ninguna de las decisiones y que tampoco leería bibliografía especializada al respecto. "A veces basta ver a una persona para que te transmita tranquilidad y sepas que lo mejor es dejar las decisiones que atañen a tu enfermedad en sus manos. Eso es lo que sucedió con la doctora Alonso."

A partir del diagnóstico, se iban a suceder una serie de pruebas para determinar la extensión de la enfermedad, el grado, la repercusión... Son días de incertidumbre, de dudas y temores hacia lo desconocido. Laura tenía que prepararse.

"Soy creyente y mi vida va centrada desde esta experiencia, que me ayudó a resituar las cosas. Me ayudó mucho, porque hay días muy duros y creer reconforta."

Dos en uno: curación y mastectomía

Cuando Laura recibía algún resultado positivo, por nimio que pudiera parecer en otras circunstancias, el día se transformaba en una fiesta. Además, continuamente se agarraba a la esperanza de que, en realidad, todas aquellas pruebas iban a concluir que estaba limpia, que no tenía cáncer.

"Poco después nos dieron el resultado de la siguiente biopsia, en la que salió que tenía una displasia, un estado anterior al cáncer. Entonces decidieron que debían practicar una cirugía por la cual me quitarían unos 6 ó 7 centímetros de mama que, a su vez, analizarían de nuevo para confirmar el resultado anterior."

"Sin embargo, después de este primer resultado no demasiado malo, el diagnóstico final cambió y me dijeron que debían quitarme el pecho entero. La noticia me pilló desprevenida."

Laura tenía un carcinoma in situ intraductal muy extenso, que podía controlarse con cirugía porque no se extendía más allá de la barrera de los conductos. Es decir, era un cáncer con la malignidad reducida pero que no permitía evitar la mastectomía.

"Me dieron las dos noticias a la vez. Una muy buena, que no debía temer por mi vida, porque no se trataba de un carcinoma agresivo y porque no existía metástasis de ningún tipo. Y otra no tan buena, que se resumía en que debía someterme a una mastectomía."

Sí hay una reflexión estética a posteriori, pero lo primero es la curación. El físico pasa en ese momento a un segundo plano

Como otras muchas pacientes, Laura se agarró a los aspectos más positivos y pensó en que se iba a curar, en la suerte que había tenido.

"Con los niños lo mejor es la normalidad"

Había llegado el momento de explicar a sus hijos lo que pasaba, aunque sin mencionar el nombre de la enfermedad porque eran aún muy pequeños. Les contó que debía quedarse unos días en el hospital, que iban a operarla, que esa intervención le ayudaría a sentirse mejor... Después, sus niños vieron los drenajes y, al final, incluso quisieron ver las heridas.

Algunas de sus preguntas no podían dejar de sorprender a Laura y a su familia. "Como respuesta a sus interrogantes les dije que iban a quitarme un pecho y el niño, de inmediato, me preguntó si, cuando me muriera, me moriría sin pecho."

La siguiente preocupación consistió en saber cuánto tiempo iba a ausentarse de casa. Laura y su marido intentaron hablar de todo con normalidad para que los pequeños se despreocuparan y no sintieran que podía pasarle algo. La familia y los amigos se convirtieron también en un apoyo importante, que ayudó a Laura a pasar por ese trance.

Todo en una misma operación

Cuando por fin se decidió qué tipo de intervención convenía realizar, el equipo médico dio a Laura una posibilidad que ni se había planteado. Podían hacerle en la misma intervención la mastectomía y una reconstrucción de mama, en concreto mediante el método DIEP, que ella desconocía.

"Aunque soy médico, no puedo estar al tanto de todas las innovaciones científicas y, en concreto, del DIEP ni había oído hablar. Tuve que ponerme las pilas y enterarme bien de en qué consistía. En cuanto me lo explicaron y entendí el sistema, dije que sí sin dudarlo."

Sin embargo, ya en casa, Laura empezó a reconsiderar esa primera decisión. En su cabeza bullían los datos de la operación: de 8 a 10 horas de quirófano, con anestesia total y los posibles riesgos derivados. En cambio, sin la reconstrucción mamaria, el tiempo de anestesia se reducía considerablemente. Las dudas le asaltaban. "No quería arriesgar mi vida más de lo necesario y no lo veía claro."

Tras la operación de reconstrucción, ¿pensaste en las cosas que no podrías hacer de no haberte sometido a ella?

Agradezco a los profesionales que me han ayudado el haberme ahorrado la experiencia de sentirme mutilada y el darme la oportunidad de hacer lo mismo que antes sin ninguna diferencia.

Decidí no volver a plantearme nada más al respecto hasta después de la operación

A la vez, sopesaba la importancia que la reconstrucción podía tener, no sólo para ella, sino también para sus hijos. "Lograr una naturalidad estética normalizaría también la relación con mis hijos. Ni se me había pasado por la cabeza si con la mastectomía dejaba o no de ser mujer, o si disminuía mi feminidad. Ni siquiera me planteé nunca que mi pareja pudiera dejarme si perdía un pecho. Sin embargo, después de mucho pensar, me di cuenta de que la reconstrucción era, a priori, buena para todos nosotros. Por eso, fui a hablar con el anestesista para que me tranquilizara y minimizara mi sensación de riesgo."

Ni siquiera esa conversación logró eliminar los miedos que se habían instalado en su cabeza, en especial sobre la anestesia y la cirugía. Fue una etapa desagradable hasta que un día... "Cambié de pronto de punto de vista y decidí confiar en todos los profesionales que me rodeaban y en todas y cada una de las decisiones que había tomado."

Un final rápido y satisfactorio

"'Te hemos quitado un pecho y te hemos puesto otro.' Ésa es la primera frase que recuerdo haber oído cuando me desperté de la anestesia." Tras la operación, Laura afrontó un rápido postoperatorio y una rápida recuperación. En una semana estaba en casa. Las cosas no podían ir mejor.

Laura no se vio en ningún momento sin pecho, algo que seguro contribuyó a reducir su desgaste emocional en una situación –la lucha contra el cáncer– en la que las emociones y sentimientos están a flor de piel. Pertenece a ese porcentaje de pacientes privilegiadas que se ahorraron la sensación de amputación que suele generar la mastectomía.

"Nunca he pasado por la experiencia de 'no tengo pecho y ahora qué hago'. Esto se ha convertido en una confirmación de que tomé una buena decisión al unir la mastectomía y la reconstrucción en la misma cirugía y, también, una confirmación de que, indudablemente, estuve en buenas manos."

“Uno de los momentos más felices de mi vida fue cuando me desperté, tras la reconstrucción con DIEP, y vi que tenía de nuevo el volumen de mis dos pechos.”

María Carmen Martínez
Barcelona - 59 años
Casada - Un hijo de 30
Reconstrucción de la mama izquierda

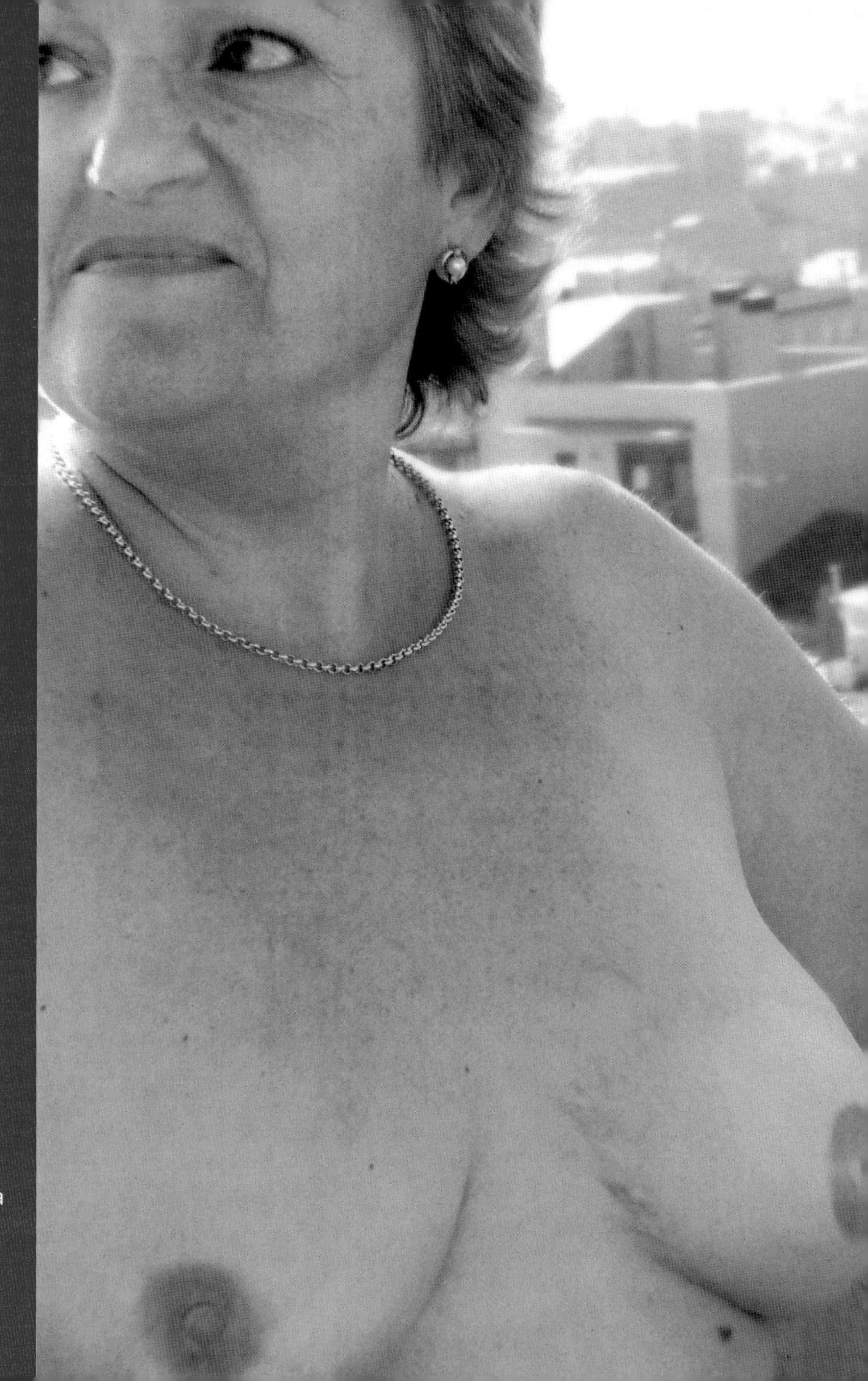

A VECES EL DESTINO JUEGA MALAS PASADAS Y ENTREGA REGALOS ENVENENADOS. PARECE QUE ESO LE SUCEDIÓ A MARÍA CARMEN EL 14 DE SEPTIEMBRE DE 1992, EL DÍA DE SU CUMPLEAÑOS, CUANDO LE DIAGNOSTICARON CÁNCER DE MAMA. TAMBIÉN ES CIERTO QUE, TRAS ESCUCHAR EL DIAGNÓSTICO, LE COMUNICARON UN MATIZ IMPORTANTE Y MUCHO MENOS AGRESIVO: "LO HEMOS COGIDO EN UNA FASE MUY TEMPRANA Y NO HABRÁ NINGÚN PROBLEMA".

María Carmen explica su experiencia con el cáncer de mama, ya superada, acompañada de su marido. "Él ha pasado la enfermedad conmigo y explicarla forma parte de todo el proceso." Son de esos matrimonios que viven, ríen y sufren juntos. Y, desde el luego, el cáncer de mama afecta no sólo a la paciente, sino también a todo su entorno. Por eso, las estadísticas señalan que las parejas sufren con esta enfermedad y que un porcentaje no resiste la dureza de sus envites.

Una visita al médico fruto de la casualidad

"Un día, en la puerta del colegio de mi hijo, hablaba con la madre de uno de sus compañeros de clase y ella me contaba que justo venía de hacerse una revisión ginecológica. Le comenté que hacía años que no me la había hecho. Ese mismo día decidí que no podía retrasarla más y llamé al ginecólogo para pedir hora."

En aquel momento –el diagnóstico de María Carmen data de 1992– existía menos conciencia de la importancia de ir con regularidad al ginecólogo y de realizarse mamografías de forma periódica como forma de detección precoz. Se concebía la medicina paliativa y no tanto la preventiva. En septiembre acudió a la consulta del ginecólogo, quien le hizo una citología y le palpó la mama. Entonces solicitó que le realizaran una mamografía.

¿Qué idea o ideas te ayudaron a mantener la mente ocupada durante la enfermedad?

Lo que me ayudó más fue pensar en mi familia.

"Me sorprendió que pidiera una mamografía, porque no era frecuente. No obstante, como me comunicó que quería esa prueba simplemente por prevención y que convenía realizarla porque yo tenía más de 40 años, no le di mayor importancia."

Días después, su marido se desplazó a recoger el resultado de la prueba, pero el ginecólogo no se lo quiso dar porque, le comentó, prefería hacer una ampliación. Tras esas segundas mamografías, el especialista apreció unas pequeñas calcificaciones que aconsejaban practicarle una biopsia.

"Cuando me anunció que debía hacerme más pruebas, no pude dejar de pensar que algo no funcionaba como debía. Todo el mundo me decía que las mini calcificaciones eran poco frecuentes o que, si llegaban a ser un cáncer, lo eran en estados poco avanzados. Por eso, me programaron la biopsia para tres meses más tarde. Al médico no le parecía preocupante."

Apenas dos días después de la biopsia, recibió una llamada desde la consulta para que acudiera a ver al doctor bastante antes de la cita prevista. "En ese momento, aunque nadie me lo dijera, supe que se habían cumplido las peores expectativas."

Su marido adelantó las noticias

Mucho menos tranquilo aún estaba el marido de María Carmen, que optó por adelantarse a la cita y hablar primero con el ginecólogo. Se acercó a su consulta para escuchar el diagnóstico resultante de la biopsia: su mujer tenía cáncer de mama.

"Mi marido vino a recogerme a un ensayo de teatro, al que iba una vez a la semana, pero llegó algo más tarde de lo habitual y con los ojos hinchados. Me dijo que tenía una alergia. Pero la verdad es que había ido al médico sin yo saberlo y así había recibido la noticia de que yo padecía uno de los cánceres de mama más agresivos, aunque parecía que se había detectado a tiempo. De todos modos, aunque el médico me aseguró que no corría peligro de muerte, también nos dijo que no podíamos despistarnos y que había que operar de inmediato."

A partir de ese momento las necesidades de las pacientes divergen. Algunas aún no son conscientes de la enfermedad que padecen. Otras rechazan tener datos del

¿Adquiriste alguna costumbre nueva o incorporaste alguna nueva actividad en tu vida?

Hice teatro, porque estudiar el papel de la obra me mantenía ocupada.

Al oír la palabra cáncer, me desmayé. Quizá como esperaba y sospechaba ese diagnóstico, se rebajó la tensión con la que había vivido las últimas semanas y mi cuerpo se apagó

cáncer y casi llegan a negarlo. Y otras más, como María Carmen, prefieren que les expliquen con toda exactitud y detalle lo que tienen y lo que va a significar en sus vidas. A pesar de ello, el diagnóstico causó un gran impacto en María Carmen.

Hay que tomar las primeras decisiones

En cuanto se supo el diagnóstico definitivo y la premura con que convenía operar, hubo que tomar las primeras decisiones importantes. El médico le dio dos opciones quirúrgicas: quitar un cuarto de la mama y someterse a radiación después de la cirugía o bien realizar una mastectomía radical que eliminaba todo peligro y no requería radiación posterior.

"Como quedaban cuatro días para la operación, pedí que me dejaran un poco de tiempo para decidirlo. Necesitaba meditar qué era lo que en realidad quería hacer. Al llegar a casa, conversé con mi hijo, que entonces tenía 15 años, y le expliqué las dos opciones de cirugía."

La respuesta de su hijo bastó para que María Carmen supiera qué decisión tomar. "Mamá, si te quitan todo el pecho, tienes más posibilidades de que no sea nada y de que no se reproduzca. Por eso, yo me lo quitaría todo. Y si hay suerte, no tienen que hacerte nada más. En cambio, si te quitas un cuarto del pecho, siempre vamos a estar con el miedo de si vuelve el cáncer. Tendrás que medicarte, a lo mejor hay que hacer quimioterapia..."

Pero no siempre los ánimos acompañan

Los sentimientos negativos iban calando en esta paciente, sobre todo el pensamiento de "por qué me ha tocado a mí". Según se acercaba el domingo, el día previsto para el ingreso hospitalario, María Carmen se sentía cada vez más indecisa, se preguntaba por aspectos en los que no había pensado antes y se enfrentaba a dudas inesperadas.

"Antes no existía ni la mitad de información que ahora. Los médicos no te decían mucho lo que pasaba, ni las secuelas que había, ni a qué te estabas enfrentando... Sí, sabíamos que el cáncer de mama diagnosticado a tiempo podía curarse, pero poco más."

La noche anterior a la operación prácticamente la pasó en blanco. Sólo podía dar vueltas a qué pasaría el día después durante la cirugía, a que no volvería a verse con pecho, a qué secuelas debería enfrentarse o a que, quizá, no todo iba a resultar tan fácil como decían los médicos.

"Mi marido estuvo allí todo el tiempo, apoyándome y diciéndome que tuviera fuerza, que eso no iba a afectarnos en nada, que nos seguiríamos teniendo el uno al otro en todo momento..."

Sin embargo, al final, las fuerzas decayeron. La psicóloga del hospital acudió a hablar con ella para darle ánimos y ayudarle a relajarse. Después, María Carmen tomó un tranquilizante y así pudo descansar unas horas. Luego se despertó y le administraron un segundo tranquilizante. No recuerda nada más hasta que se encontró en la habitación después de la operación.

Cuando decidiste optar por la reconstrucción, ¿se presentaba alguna imagen de forma recurrente en tu mente?

Pensaba en renovar el vestuario, comprar ropa más ajustada, incluso en mostrar un buen escote.

El día después

"Al abrir los ojos por primera vez después de la intervención, pensé: ya estoy curada, ya no me puede pasar nada. El miedo había desaparecido por completo. Había superado la enfermedad, me sentía bien y, además, al mirar el vendaje, me pareció que tenía un poco de pecho. Me sentía contentísima y me reía con todo el mundo. Todos a mi alrededor se extrañaban de la reacción que estaba teniendo."

"En cambio, mi marido pasó unos días muy preocupado y con él, toda la familia. Sólo se relajaron después de hablar con el médico y cuando, 15 días después, ya en casa, nos dieron los resultados definitivos del tejido que habían operado y fueron favorables."

¿Y ahora qué?

María Carmen seguía en una nube que le impedía preocuparse por nada. El postoperatorio avanzaba sin complicaciones hasta que le dijeron que debía visitar a una oncóloga para seguir el tratamiento. El miedo y la desconfianza regresaron.

"La palabra 'oncóloga' fue como si me dijeran que todavía no había acabado la pesadilla. Me sentía curada pero, cuando me derivaron a oncología, sentí un pánico tremendo. Acudí angustiadísima a la visita, pero enseguida la especialista me anunció que no necesitaba ni quimioterapia ni radioterapia. Ahí ya me tranquilicé bastante."

María Carmen tuvo que seguir sometiéndose a revisiones: primero cada tres meses, luego cada seis, después una vez al año... Así, dos años después de la cirugía, le plantearon reconstruirse el pecho con un implante de silicona, aunque ella respondió con contundencia que no. Pasaron los meses y unos años y María Carmen se sumió en una depresión, que había permanecido oculta hasta entonces, como consecuencia de la mastectomía.

"Mi marido me preguntaba si me apetecía reconstruirme, pero volver a entrar en un quirófano para ponerme silicona era lo último que se me pasaba por la cabeza. Sin embargo, lo cierto es que odiaba las prótesis externas que usaba, me sentía incómoda con ellas, me pesaban. Como resultado, no me ponía la ropa que me gustaba y dejé de ir a la playa y a nadar. Hasta que un día, en casa, vi un reportaje en televisión sobre la técnica de reconstrucción mamaria del DIEP. Y supe que eso era lo que yo quería hacerme."

> Me devolvían la vida con algo tan sencillo como la técnica del DIEP. Tras la operación, al ver el escote que ya asomaba bajo las vendas, casi me cayeron lágrimas de felicidad

No le resultó fácil localizar la información, porque la técnica del DIEP se conoce menos que las de otros tipos de reconstrucciones. No obstante, en cuanto dio con el doctor Jaume Masià en la Clínica Planas, el centro médico que aparecía en el reportaje de televisión, pidió hora en la consulta. "Nunca he estado más segura que cuando, tras hablar con el doctor Masià y escuchar lo que me iba a hacer, tomé la decisión de hacerme la reconstrucción. Podía más la ilusión de volver a tener un pecho que el miedo a la anestesia. Era volver a ser yo, suponía recuperar la feminidad que sentía perdida."

“Las revisiones anuales son una bendición. Con un diagnóstico precoz la posibilidad de curación aumenta hasta límites insospechados.”

Carmen Figueras - Barcelona - 57 años
Casada - Una hija de 25 años - Reconstrucción mamaria izquierda y elevación de la mama derecha

NO ES LA PRIMERA DE LAS PACIENTES QUE OBTIENE UN DIAGNÓSTICO PRECOZ DEL CÁNCER GRACIAS A LA REVISIÓN ANUAL A LA QUE ACUDE SIN FALTA. AQUEL DÍA, CARMEN OBSERVÓ QUE EL TÉCNICO PUSO UNA CARA EXTRAÑA AL REALIZARLE LA MAMOGRAFÍA PERO, COMO ES UNA MUJER DE NATURALEZA OPTIMISTA, PENSÓ QUE QUIZÁ NO HABÍA HECHO BIEN SU TRABAJO Y QUE, POR TANTO, NO DEBÍA PREOCUPARSE HASTA QUE SU GINECÓLOGO DE CONFIANZA LE DIERA TODOS LOS RESULTADOS.

Y así lo hizo. Carmen acudió de inmediato al ginecólogo para que le comentara las pruebas pero, al carecer de antecedentes familiares de cáncer, en ningún momento pensó que pudiera tratarse de algo grave. "Ahora ya sé que tener un cáncer no está necesariamente vinculado a los antecedentes, que una puede tenerlo así, sin más." Tras la segunda prueba le confirmaron que tenía un tumor en el pecho. No parecía maligno, pero era mejor extirparlo. El año 2001 estaba a punto de acabar, y empezaba para ella una enfermedad que hoy ya está completamente superada.

Empieza la cuenta atrás

Su médico le explicó que, a pesar de que el tumor parecía no tener células cancerígenas, era más seguro extraerlo y analizarlo capa por capa, en especial porque Carmen ya tenía 50 años de edad. "Así nos curamos en salud." Y eso fue lo que hicieron, aunque los resultados de ese análisis no se pudieron considerar ni mucho menos favorables.

"Resultó que tenía un tumor maligno de grado 3 de 3, de los más agresivos, y además tenía muchos ganglios afectados, 6 en total, que habían roto la cápsula. Para redondear la situación, se trataba de un tumor infiltrante, en el que las células saltan a otras zonas, no se quedan quietas. Es un tumor algo más agresivo."

¿Adquiriste alguna costumbre nueva o incorporaste alguna nueva actividad en tu vida?

No, me centré en mis rutinas diarias.

Ante todo, una sonrisa

El pensamiento positivo es importante en general, pero mucho más aún en este tipo de enfermedades

La sonrisa parece ser una seña de identidad de todas las pacientes. "¿Sabes qué pasa? Si no sonreímos tras haber superado todo esto, no nos hacemos ningún favor a nosotras mismas."

La operación para extraer el tumor llegó poco después. Los primeros resultados de la punción parecían esperanzadores pero, desafortunadamente, la realidad era otra. Lo que había sucedido era que en el punto en que hicieron la primera punción no había ninguna célula maligna y eso despistó el diagnóstico. "El problema del cáncer es que te pilla por sorpresa, porque no te causa molestias que te hagan pensar que estás enferma."

Carmen siempre había acudido al ginecólogo sola, convencida de que no podía recibir malas noticias. Sin embargo, estos últimos resultados los recogió su marido. Fue él quien le informó de que las cosas no iban todo lo bien que imaginaban y que tendría que someterse a una mastectomía radical.

Primera opción: la reconstrucción de pecho

Una compañera de trabajo le comentó que existían alternativas a la mastectomía radical, como la posibilidad de colocar un expansor en la misma operación para que pudiera salir del quirófano sin pasar por la ausencia del pecho. Le pareció una buena idea y se informó de esta técnica más a fondo, que consiste en añadir poco a poco líquido al expansor para, con el tiempo, poder sustituirlo por una prótesis de silicona.

"Inmersa en esa situación agradeces cualquier información con criterio que te llegue. Se agradece tener a alguien a tu lado que te aconseje."

Por eso, Carmen acudió a los profesionales que podían explicarle su situación y las distintas alternativas.

En busca de información y apoyo

Cuando se sigue una dieta sana, sin alcohol, sin tabaco... uno tiende a pensar que está a salvo de las enfermedades agresivas y que nada malo puede sucederle. Pero lo cierto es que la enfermedad no siempre selecciona ni hace caso de las buenas costumbres.

"Superada la sorpresa de que estaba enferma, nunca pensé que no saldría de la enfermedad. No me deprimí pensando en la muerte, pero sí vi que mi vida iba a cambiar radicalmente. Acostumbrada a ir a la playa o a hacer *top-less* sin preocuparme, entre otras cosas, quedarme sin pecho suponía un cambio de vida inesperado."

Con ese estado de ánimo, Carmen se acercó a consultar a una cirujana plástica que la tranquilizó y le aseguró que no tendría problemas para ponerse una prótesis y así "no salir plana" del quirófano. Ése fue el primer paso.

El segundo requería asumir la situación física en que podría encontrarse tras la mastectomía, la quimioterapia y la reconstrucción. Tenía que comentar en su trabajo la situación y confiar en que aceptaran que no se sintiera con fuerzas para rendir al cien por cien tras la quimioterapia.

"Es básico comentar tu problema con la gente que quieres. Es muy importante que tu entorno te apoye, que sientas que no eres un estorbo y recibas ayuda de buena gana. Eso es lo que sucedió en mi caso. Mis compañeros me dijeron que no me preocupara, que ellos suplirían mi trabajo allí donde yo no llegara durante el año que debía seguir el tratamiento."

Cuando decidiste optar por la reconstrucción, ¿se presentaba alguna imagen de forma recurrente en tu mente?

La típica imagen del pecho mastectomizado, la cicatriz plana.

Además, está la cuestión de cómo enfrentarse a los cambios físicos que sufriría tras la operación y los tratamientos posteriores. "Me dijeron que se me caería el pelo, pero siempre tuve claro que no quería utilizar peluca. Me dirigí a la peluquería del barrio, les comenté lo que me pasaba y me hicieron un corte extremado. Luego, conforme empezó a caérseme el pelo opté por ponerme pañuelos y gorros. Pero siempre con la idea clara de que no quería ocultar mi enfermedad."

Cuenta que tuvo mucha suerte porque ese verano llovió mucho y no hizo demasiado buen tiempo. "Podía llevar gorros y pañuelos sin problema y utilizaba ropa más cubierta que la habitual en un verano caluroso... Ni siquiera me supuso un problema engordar los diez kilos que engordé."

Tras la operación de reconstrucción, ¿pensaste en las cosas que no podrías hacer de no haberte sometido a ella?

Poder nadar y pasar desapercibida como una mujer más.

Las prioridades cambian

Además de la sonrisa, las afectadas por el cáncer de mama también tienen en común haber experimentado un reajuste de valores o prioridades. Aquello que antes del diagnóstico del cáncer parecía importante deja de serlo después de la operación. Son otras las cosas que pasan a primer plano.

"Tienes la sensación de que antes te ahogabas en un vaso de agua y de que, ahora, el vaso siempre está lleno, con la única excepción de la enfermedad que estás intentando superar. En aquel momento mi madre estaba ingresada en una residencia geriátrica y no quería comentarle nada. Estuve unas semanas sin ir a verla y pensé que se sorprendería de verme con gorro. En cambio, ella lo vio como un signo de modernidad, nunca se preocupó por eso."

En agosto de 2002 acabó la quimioterapia y empezaron a administrarle radioterapia. Carmen seguía con el expansor puesto. En una de las ocasiones en que acudió a que le pusieran más líquido en el expansor, con el fin de poder luego sustituirlo por la prótesis de silicona, no le encontraron la válvula para incorporar ese líquido. Tuvieron que abrirle de nuevo el pecho para localizarla. "No me supuso demasiado problema. Sólo pensaba en que pronto acabaría con el expansor y llegaría la silicona y, con ella, el pecho aparecería totalmente recuperado."

Mientras tanto, sus amigas y su familia seguían apoyando a Carmen. "He tenido mucha suerte porque las amigas siempre han estado allí. Lo que no acabó de convencerme fue acudir a un grupo de apoyo, ya que no me sentía desprotegida. Fui un día a una asociación para ver qué servicios prestaban, pero decidí no volver."

Conocer la técnica del DIEP

Por mediación de la mutua que la atendía sanitariamente, Carmen se acercó a la consulta de un cirujano plástico para que cambiara su expansor por una prótesis de silicona. "En la primera conversación con el doctor me dijo que podíamos aprovechar que tenía la forma del pecho ya hecha y poner la prótesis de silicona."

Sin embargo, la radioterapia había afectado mucho a los tejidos y, como el cuerpo estaba muy agredido por el tratamiento contra el cáncer, se podía producir un rechazo a la prótesis. Y eso fue lo que sucedió. La prótesis se encapsuló en cuanto se la colocaron: se convirtió en una especie de pelota dura que causaba molestias.

"En la siguiente visita me dijeron que no se podía volver a intentar la reconstrucción con la prótesis y el médico me habló de la técnica del DIEP." Le explicaron esta técnica con detalle, cómo sería la intervención, los posibles efectos secundarios... Y Carmen optó por hacérsela a través del sistema sanitario de la Seguridad Social.

El Hospital de Sant Pau de Barcelona se halla entre los centros que practican este tipo de reconstrucción y Carmen tuvo la suerte de poder acceder antes de lo previsto a la intervención ya que, con su consentimiento como paciente, querían grabar la cirugía y que varios médicos pudieran observar su desarrollo paso a paso. Era frecuente cambiar una prótesis encapsulada por una reconstrucción DIEP y merecía la pena aprovechar este caso para que otros especialistas siguieran la intervención.

> La experiencia fue estupenda. No me importó que hubiera bastantes personas en el quirófano. Era anestesia total en una operación de casi 8 horas, así que yo no me iba a enterar

"Tras la operación de DIEP, experimenté la sensación, muy importante para mí, de que el pecho formaba de nuevo parte de mi cuerpo. Hasta ese momento había ido poniéndole parches pero, a partir de entonces, sí era mi pecho de verdad. Estaba recuperando mi sensación de libertad y de, por ejemplo, ir vestida como quisiera, algo que no podía hacer con la prótesis de silicona pues la había sentido como un elemento extraño metido en mi cuerpo."

"Tras la reconstrucción con el DIEP sólo me faltaba un último paso: pedirle al cirujano que me hiciera un aumento de pecho."

Carmen Casanova - Barcelona - 37 años
Casada - Dos hijas de 13 y 9 años
Reconstrucción de la mama derecha
y elevación de la mama izquierda

CARMEN LLAMÓ A SU GINECÓLOGO EN CUANTO NOTÓ UN BULTO EN SU PECHO MIENTRAS SE VESTÍA. SIN EMBARGO, EN LA CONSULTA, ESTE ESPECIALISTA LA TRANQUILIZÓ: SÓLO TENÍA UNOS QUISTES FIBROSOS, QUE NO MERECÍAN PREOCUPARSE NI PARECÍA QUE FUERAN A EVOLUCIONAR. CARMEN LE HIZO CASO Y SE OLVIDÓ DEL TEMA, DISTRAÍDA PORQUE SE ENFRENTABA A UNA ÉPOCA PERSONAL AGITADA, REPLETA POR EL TRABAJO Y EL CUIDADO DE SU FAMILIA, Y CON UN TRASLADO DE DOMICILIO A LA VISTA.

En ese momento empezó a adelgazar, aunque tampoco le dio demasiada importancia. "No era una pérdida de peso anormal, unos seis o siete kilos. A veces, estas cosas pasan, tu cuerpo cambia. Tan sólo me inquietaba que el bulto del pecho era ahora claramente visible."

Por eso, acudió de nuevo a la consulta del ginecólogo, a pesar de que estaba convencida de que los resultados coincidirían con los de la primera visita. "No se me pasaba por la cabeza que pudiera tratarse de algo maligno. Sin embargo, tras la revisión, me hicieron una biopsia de inmediato y mi ginecólogo me remitió a la Seguridad Social."

"Este hecho, que me derivara a un hospital de la Seguridad Social, me hizo caer en la cuenta de que la situación era grave ya que, desde el principio, le había dejado claro que no me importaba pagar por las pruebas que hiciera falta realizar. Sin embargo, su insistencia me hizo ver la gravedad real del asunto."

El diagnóstico era de carcinoma, un tumor maligno de unos 18 milímetros. "Antes de la intervención, el cirujano me advirtió que, como yo tenía muy poco pecho y había que recortar el tumor con unos márgenes, lo mejor era hacer una mastectomía."

Confianza al hablar con sus hijas

Al principio, Carmen no quería contar nada de su situación a sus hijas para ahorrarles preocupaciones, pero acabó por contárselo todo a la mayor. "Un día me llamó mi cuñada y me dijo que hablara con ella, porque no hacía más que decir a sus primas que algo le sucedía a su madre y que no sabía qué era. Así que me senté y hablé con ella. Intenté quitarle hierro al asunto y, sobre todo, asegurarle que no me moriría. Se lo expliqué poco a poco."

¿Qué idea o ideas te ayudaron a mantener la mente ocupada durante la enfermedad?

Seguir con mis rutinas habituales, como si no pasara nada (tomar café con mis amigas, seguir fumando, etc.)

Ambas reaccionaron como el resto de su familia: restándole importancia a la operación y a la enfermedad. "Aunque las dos niñas estaban preocupadas ante las pruebas que me realizaban, no hacían más que decirme que tampoco era tan grave, en especial si eso iba a hacer que me curara."

Un mal diagnóstico puede complicar el futuro

Durante todo este proceso, Carmen siempre creyó que los médicos estaban analizando un pequeño bulto interno, que nada tenía que ver con aquel primer bulto tan visible que ya había detectado años atrás. Sin embargo, el cirujano la sacó de su error. "Me dijo que ese primer bulto era el causante de todo y que, si me lo hubieran tratado en cuanto lo noté, no estaríamos afrontando la situación actual."

Carmen no podía dar crédito a lo que oía. El tumor estaba en el mismo bulto al que, años atrás, su ginecólogo no había dado importancia. Ahora ese bulto parecía ser el origen del cáncer y el causante de que tuvieran que realizarle una mastectomía radical.

En realidad, Carmen nunca se había planteado lo que suponía tener cáncer de mama, ni entraba dentro de sus cálculos que le fueran a quitar un pecho. En cambio, en poco más de un mes, le habían realizado todas las pruebas necesarias y estaba a punto de entrar en quirófano. A pesar de ello, Carmen seguía sin saber exactamente qué le iban a hacer.

"Llamé a una amiga enfermera para que me lo contara todo, para que me dijera cómo sería la intervención y cómo quedaría yo. Estaba convencida de que dejarían piel para poner después la prótesis o qué sé yo... Cuando me enteré de que me quedaría sin pecho y con una única cicatriz horizontal, se me vino el mundo encima. Antes de entrar en quirófano, incluso pedí al cirujano que por favor no me quitara todo el pecho."

No obstante, la cirugía concluyó con la prevista mastectomía radical y, 15 días después, tras los análisis de la extracción, le comunicaron que habían encontrado 3 tumores: el primero –el origen de todo– medía 4 centímetros, mientras que el segundo y el tercero llegaban a los 2 centímetros. Además, le habían quitado 15 ganglios y 5 estaban afectados. Ahora empezaba la segunda etapa para intentar controlar el cáncer: la etapa de la quimioterapia.

Con la ilusión de reconstruirse

Tras recuperarse de la operación, arrancó la quimioterapia y, casi sin darse cuenta, recibió información sobre las posibles secuelas, la alimentación y el reposo que debía guardar. "Me explicaron que podía tener mucho malestar, pero que no sería muy duradero. Y fue verdad."

"Por otro lado, reconozco que no seguí todos los consejos al pie de la letra ya que, por ejemplo, nunca dejé de beber leche y no me causó ninguna mala reacción. Pensaba que si me apetecía tomarla, no iba a hacerme daño y que merecía la pena probarlo en lugar de hacerme la víctima."

> No hacía más que pensar en lo que me había dicho el médico, que esto iba a durar un año y que después todo habría acabado. Y así fue

El coraje y la visión positiva eran elementos imprescindibles para salir adelante. Además, Carmen tenía una meta clara: quería reconstruirse el pecho y no podía permitirse ni recaídas ni estados anímicos bajos que retrasaran su recuperación.

"Lo primero que pregunté al médico, incluso antes de que me operaran, fue qué tendría que hacer para reconstruirme el pecho. Aún no me habían operado y yo ya preguntaba cómo sería, qué sistemas existían... Ya no pensaba en el presente, sino en el futuro inmediato. Mi prioridad era poder reconstruirme en cuanto acabara con el tratamiento. El médico no hacía más que decirme que esperara, que aún no me habían operado y que faltaba la quimioterapia y, por mi parte, sólo le preguntaba por la reconstrucción."

Algunos días no podía hacer muchas cosas, pero me esforzaba y acababa por hacerlas porque pensaba en la reconstrucción

A pesar de la dureza de las sesiones de quimioterapia y de los numerosos efectos secundarios, intentaba hacer vida normal al máximo: cuidar de la casa y de su familia, intentar que no la vieran desfallecer...

"Acabé la quimioterapia el 27 de diciembre de 2001, me habían operado en junio y en julio ya habían empezado con la quimioterapia. Tuve que presionar a los médicos para acabar las sesiones de quimioterapia antes de que acabara el año, porque deseaba empezar el 2002 con todas las sesiones hechas. Recuerdo ese inicio de año como desastroso, pero sin dejar de pensar que empezaba una nueva etapa, que era un momento pasajero y que el nuevo año traería consigo la reconstrucción."

Alejar la inseguridad

"Me duchaba a oscuras, me vestía y me desnudaba sin mirarme. Tampoco me sentía a gusto con mi cuerpo a la hora de mantener relaciones sexuales con mi marido. Por eso no hacía más que pensar en el momento en que podría hacerme la reconstrucción y así alejar los fantasmas de la inseguridad de mi vida."

A pesar de que contaba con apoyo familiar incondicional, a Carmen le faltaba lo más importante: volver a creer en sí misma. "Era yo la que tenía dificultades, era yo a quien le incomodaba no tener uno de los pechos... Mi marido jamás me dijo que me hiciera la reconstrucción. Primero tenía que sentirme bien conmigo misma y, luego, todos los de mi alrededor se sentirían bien."

Dónde hacerse la reconstrucción

Incluso cuando las pacientes tienen claro el tratamiento que desean recibir, no siempre resulta fácil acceder al centro sanitario o a los profesionales adecuados. La información puede ser escasa o incompleta, de modo que la mujer se acaba guiando por la intuición o por aquello que ha oído de manera informal.

"El 2 de enero de 2002 empecé a mover el tema. Acudí a 3 centros hospitalarios pero ninguno me convenció. En uno de ellos incluso una doctora tuvo un trato poco educado, ya que me dijo: 'Los cirujanos siempre dicen que te van a reconstruir un pecho bonito y, en realidad, te van a hacer un bulto con forma de algo. Además, con la poca barriga que tienes, ¿de dónde quieres que te lo saquen?'. En ese momento me deprimí, pero pronto pensé de nuevo en positivo y me fui a consultar con otros médicos. Alguien sabría qué hacer."

A fuerza de preguntar, Carmen contactó con un centro privado recomendado y, una vez allí, le ofrecieron la reconstrucción del pecho con expansores. "Era un momento en que las últimas técnicas no estaban del todo desarrolladas. Me dijeron que tardarían unos 8 meses en operarme y se me volvió a caer el mundo encima. Era enero y soñaba con tener los pechos operados en verano. Necesitaba creer que podría hacer vida normal en las vacaciones de ese mismo año."

Cuando decidiste optar por la reconstrucción, ¿se presentaba alguna imagen de forma recurrente en tu mente?

Pensaba "si me muero, me moriré con los dos pechos". Quería recuperar plenamente mi vida.

Pero los amigos... "Comiendo un fin de semana con amigos, uno de ellos trabajaba en el Hospital de Sant Pau y me dijo que me pediría hora en el hospital para que me vieran. Poco antes, otra amiga me había pasado un artículo del periódico escrito por el doctor Jaume Masià, que precisamente tenía consulta en ese hospital y en la Clínica Planas."

Allí le explicaron las posibilidades de la reconstrucción con la técnica DIEP y vio la solución a sus problemas. Los márgenes de tiempo se redujeron: podían realizarle la operación en 6 meses. Y además, como sorpresa final, el doctor Masià le ofreció la posibilidad de adelantar la intervención, lo que suponía estar reconstruida en verano. "Mi sueño inicial iba a cumplirse."

La reconstrucción no sólo fue rápida, sino que además no generó ningún tipo de problema.

Ahora sí hago mi vida normal, hago lo mismo que hacía antes: voy a la playa, llevo biquini...

A por el aumento de mama

Carmen se sintió satisfecha con la reconstrucción, ya que el pecho había quedado bien y había recuperado su vida anterior. Sin embargo, también pensaba que aquel cambio no le bastaba. Quería acercarse más a la perfección y, para eso, pensó en una operación de aumento de mamas. "Me dije que, después de lo que me había hecho, sólo faltaba completarlo. Por eso fui a la Clínica Planas y pregunté al doctor Masià si podía hacerme un aumento de pecho."

"Me costó convencerlo, pero yo veía aquel aumento como el remate que me faltaba para tener los dos pechos iguales." Casi tres años después, Carmen volvió a entrar en quirófano con ese objetivo y, en unos meses, la satisfacción era completa. "Gracias a la reconstrucción del pecho con el DIEP, podía hacer vida normal hasta el punto de incluso poder aumentar la talla de pecho. ¿Se podía pedir más?."

Tras la operación de reconstrucción, ¿pensaste en las cosas que no podrías hacer de no haberte sometido a ella?

Nunca más he pensado en no tener pecho.

GLOSARIO

- **Areola:** zona de piel más pigmentada que rodea el pezón.
- **Atipia:** cambio en una celula que insinúa una tendencia hacia la transformación maligna.
- **Benigno:** no canceroso.
- **Biopsia:** extirpación de una muestra de tejido que luego se examina con el microscopio para buscar células cancerosas u otros procesos patológicos.
- **Cirujano plástico:** médico especializado en cirugía plástica que en España debe tener el título oficial de Cirugía Plástica, Estética y Reparadora.
- **Colgajo:** porción de tejido con aporte de sangre propio (arterial y venoso) que se desplaza de una parte a otra del cuerpo. Puede estar formado por piel, músculo, grasa o hueso.
- **Colgajo microquirúrgico (o libre):** tejido que se obtiene en zonas distantes del organismo y que se desconecta provisionalmente de él para unirse de nuevo mediante técnicas de microcirugía de arterias y venas.
- **Colgajo pediculado:** tejido del organismo cercano a la mama que mantiene una conexión vascular aunque se transfiera o cambie de posición para una reconstrucción.
- **Contractura capsular:** complicación secundaria a la implantación de la prótesis de mama. Consiste en la retracción del tejido fibroso periprotésico, que produce endurecimiento de la mama e incluso deformidad y dolor en los casos mas graves.
- **Cribaje:** sistema de detección precoz de enfermedades que se aplica cuando aún no existe ninguna sintomatología.
- **Cuadrantectomía:** técnica quirúrgica de cirugía conservadora de mama que consiste en extirpar en bloque el tumor con uno de los cuadrantes de la mama. Comporta la resección de una cuarta parte de la mama.
- **Disección axilar:** cirugía para extirpar los ganglios linfáticos que hay debajo del brazo.
- **Drenaje:** dispositivo en forma de tubo conectado a una bolsa que extrae, normalmente por succión, los exudados sobrantes o no deseados de una zona operada.
- **Ducto:** pequeño canal en la mama que comunica los lóbulos mamarios con el pezón y a través del cual pasa la leche.
- **Ensayo clínico:** estudio de investigación que implica a los pacientes para hallar mejores formas de prevenir o tratar enfermedades como el cáncer.
- **Ganglios linfáticos:** pequeñas estructuras en forma de judía que forman parte del sistema inmunitario. Son como estaciones donde llegan los conductos linfáticos que transportan elementos patógenos o residuos celulares junto a la linfa.
- **Gen BRCA1 y BRCA2:** genes relacionados con el cáncer de mama familiar.
- **Hematoma:** acumulación de sangre tras una hemorragia en cualquier parte del cuerpo, generalmente tras un traumatismo o una intervención quirúrgica.
- **Linfa:** fluido casi incoloro que viaja a través del sistema linfático y transporta células que ayudan a combatir las infecciones y enfermedades.
- **Linfedema:** inflamación de una parte del cuerpo por cúmulo de linfa a nivel del tejido celular subcutáneo.

- **Lóbulo:** parte de la glándula mamaria donde se produce la leche.
- **Maligno:** canceroso.
- **Mamografía:** radiografía de la mama.
- **Mastectomía:** cirugía para extirpar la mama.
- **Mastopexia:** cirugía mediante la cual se consigue elevar una mama que estaba caída.
- **Menopausia:** momento de la vida de una mujer en el que se le retira la menstruación.
- **Metástasis:** diseminación del cáncer de una parte del cuerpo a otra.
- **Microcirugía:** conjunto de técnicas quirúrgicas que precisan de una magnificación visual a traves de un microscopio para realizarse, ya que utilizan arterias y venas muy pequeñas. La microcirugía plástica requiere una superespecialización para que su práctica sea segura.
- **Microcalcificación:** depósito diminuto de calcio en la mama.
- **Necrosis:** muerte del tejido debido a una aportación sanguínea insuficiente.
- **PAAF:** punción mediante aspiración y una aguja fina con la que se extrae material celular para identificar microscópicamente la lesión por citología.
- **Protocolo:** conjunto de normas que permiten el cumplimiento de un objetivo.
- **Ptosis:** Caída o descenso de una estructura, en este caso de las mamas, que ocasiona un problema estético.
- **Recidiva:** reaparición del cáncer meses o años después. Suele darse en la cicatriz o en la axila.
- **Remisión:** desaparición de los signos y síntomas de una enfermedad como el cáncer.
- **Seroma:** acumulación subcutánea de líquido de aspecto claro y seroso, parecido al suero, generalmente en un área operada o traumatizada.
- **Silicona:** polímero inerte fabricado a base de silicio, incoloro, inodoro y con diferentes grados de viscosidad, muy empleado en medicina para la fabricación de prótesis y de implantes.
- **Sistema linfático:** tejidos y órganos que producen y almacenan células que combaten las infecciones y enfermedades. Los canales por los que circula la linfa también forman parte de este sistema.
- **TAC multidetector:** escáner de última generación que sirve para estudiar con gran detalle superficies extensas en poco tiempo. Proporciona información muy útil en el estudio preoperatorio de los colgajos de perforantes, ya que detalla el calibre, el trayecto y las relaciones anatómicas de los vasos de perforantes.
- **Tatuaje de la areola:** técnica que consiste en la infiltración intradérmica de pigmentos de coloración similar a la areola empleada en la reconstrucción mamaria o en alteraciones cromáticas de la areola.
- **Tratamiento local:** tratamiento que afecta a las células del tumor y a la zona que rodea al mismo.
- **Tratamiento sistémico:** tratamiento que alcanza y afecta a todas las células del cuerpo.
- **Tumor:** masa anormal de tejido.
- **Tumorectomía:** técnica quirúrgica en la que sólo se extirpa el tumor canceroso de la mama. Generalmente va seguido de la aplicación de radioterapia.
- **Zona donante:** región anatómica de donde se extrae el tejido para la reconstrucción.
- **Zona receptora:** región anatómica que recibe el colgajo o tejido autólogo: la zona que se reconstruye.

→ DIRECCIONES DE INTERÉS

Asociación de mulleres afectadas por el cáncer de mama Punto y seguido
Centro Municipal de la Mujer.
Bº de las Flores.
C/ Hortensias, s/n. 15008, A coruña
Tel.: 676 56 89 14
E-mail: puntoseguido@gmail.com

AMAC
C/ del Cura, 5, 2º dcha., 02001 Albacete
Tels.: 967 669 141 / 678 500 112
E-mail: amacab@ono.com

APAMM
C/ Castaños, 43, 5ºB, 03002 Alicante
Tel.: 965 217 966 Fax: 965 203 766
E-mail: apamm@telefonica.net

ANÉMONA
C/ La palma, 46
03501 Benidorm (Alicante)
Tel.: 965 854 111 Fax: 965 266 266
E-mail: info@anemona.org

AMACMEC
C/ Olegario Domarc Seler, 93, entlo.
03206 Elche (Alicante)
Tels.: 965 447 572 / 647 785 030 / 661 918 756
E-mail: amacmec@medtelecom.net

AMAMA
C/ González Garbín, 17, entlo., 2
04001 Almería
Tels.: 950 264 567 / 950 245 124 / 619 099 441
E-mail: amama.al@gmail.com

AGATA
C/ Enric Granados, 137, pral.1º
08008 Barcelona
Tel.: 934 159 394
E-mail: agatas@suport.org

ASSOCIACIÓ L'OLIVERA
C/ Mel, 8, 08240 Manresa (Barcelona)
Tel.: 939 752 310
E-mail: olivera@ajmanresa.org

PICAM
Casal Cívic Riera Bonet, Ca la Cödia, 5
08750 Molins de Rei (Barcelona)
Tel.: 616 866 305
E-mail: picam5@hotmail.com

GINESTA
Plaza Penedès, 3-2
08720 Vilafranca del Penedès (Barcelona)
Tels.: 938 902 998 / 639 280 708
E-mail: associacioginesta@ginestavila.cat

AGAMAMA
C/ Sociedad, 3, bajo, 11008 Cádiz
Tels. 956 266 266 / 685 807 411
Fax: 956 266 266
E-mail: agamama@agamama.org

AMUCCAM
Centro Cívico Mª Cristina
C/ General Dávila, 124
39007 Santander
Tels.: 942 225 354 / 628 709 619
E-mail: amuccam@amuccam.com

ACMUMA
C/ Teniente Olmo, 2, 2º, puerta 8
11701 Ceuta
Tels.: 956 514 515 / 619 461 751
E-mail: acmuma@gmail.com

AMUMA
C/ Alarcos, 12, puerta 6
13001 Ciudad Real
Tels.: 926 216 579 / 616 103 608
E-mail: info@amuma.org

SANTA ÁGUEDA
C/ Cuesta, 16
13500 Puertollano (Ciudad Real)
Tels.: 926 413 109 / 656 489 184
E-mail: sagueda@gmail.com

ROSAE
Avda. Primero de julio, 46
13300 Valdepeñas (Ciudad Real)
Tel.: 615 112 169
Fax: 926 310 118
E-mail: ROSAE_ORG@terra.es

KATXALIN
Edif. Txara, 1, sección Lankide
P. Zarategui, 100 20015 San Sebastián
Tel.: 943 245 608
E-mail: katxalin@katxalin.org

AOCAM
C/ Miguel Redondo, 56, bajo
21003 Huelva
Tels.: 959 812 345 / 659 781 169
Fax: 959 812 345
E-mail: aocam@hotmail.com

ACCM
Centro Sociosanitario Nuestra Señora de Fátima, Ciudad Jardín
C/ Antonio Machado Viglietti, 1
35005 Las Palmas de Gran Canaria
Tel.: 928 245 778 Fax: 928 275 667
E-mail: asociacioncancermama@yahoo.es

ADIMA
C/ Alcalde Rovira Roure, 80
25198 Lleida Tel.: 973 167 141
E-mail: adima@lleida.org

ALMON
C/ Burgo Nuevo, 15, 2º dcha.
24001 León Tel.: 987 230 041
E-mail: almonleon@yahoo.es

ASAMMA
C/ Tizo, 11, bajo 29013 Málaga
Tel.: 952 256 951
E-mail: asamma_10@hotmail.com

AAMM
C/ Fundación Bloque, 3, 1ºD
29200 Antequera (Málaga)
Tels.: 952 702 820 / 628 935 767
E-mail: aammantequera@hotmail.com

ALBA
Cos de Gracia, 19, local 7
07702 Mahón (Menorca)
Tel.: 676 979 110
E-mail: albamenorca@hotmail.com

AMIGA
Plaza S. Domingo, 1 / Palacio Almodóvar, 1, ptal. 3,
30001 Murcia
Tel: 678 660 457
E-mail: amigamurcia@gmail.com

SARAY
C/ Cortes de Navarra, 7, 3º dcha.
31002 Pamplona
Tel. / Fax: 948 229 444
E-mail: asocsaray@yahoo.es

ADICAM
Avda. Marín, 12, 1º
36940 Cangas de Morrazo (Pontevedra)
Tels.: 986 307 158 / 669 801 319
E-mail: adicam@terra.es

AMATE
C/ Juan Rumeu García, 28.
Edif.s del voluntariado
38008 Santa Cruz de Tenerife
Tel.: 922 220 564
Fax: 922 505 030
E-mail: amate19@yahoo.es

AMAMA
C/ Diego de Riaño, 10
41004 Sevilla
Tels.: 954 540 213 / 653 610 471
E-mail: amamasevilla@hotmail.com

AMMCOVA
C/ Martínez Cubells, 2, planta 15
46002 Valencia
Tels.: 963 523 696 / 656 890 108
E-mail: ammcova@ammcova.com

ACAMBI
C/ General Eguía, 33, 1º izqda.
48013 Bilbao
Tels.: 944 161 283 / 944 421 283
E-mail: mastectomizadas@terra.es

AMAC-GEMA
Plaza del Pilar, 14, 3º, centro
50003 Zaragoza
Tels.: 976 297 764 / 656 867 764
E-mail: amacgema@terra.com

Convenio de colaboración con FECMA en todo lo relacionado con el cáncer de mama ASOCIACIÓN ONCOLÓGICA EXTREMEÑA - AOEX
Avda. Godofredo Ortega y Muñoz, 1, local 10, 06011 Badajoz Tel.: 928 245 718
E-mail: aoex@aoex.org

FEDERACIÓN ESPAÑOLA DEL CÁNCER DE MAMA
www.fecma.org
E-mail: info@fecma.org

AGENCIA ESPAÑOLA DE MEDICAMENTOS Y PRODUCTOS SANITARIOS
Ensayos Clínicos en España.
www.agemed.es

ASOCIACIÓN ESPAÑOLA CONTRA EL CÁNCER (AECC)
Cuentan con delegaciones en todas las provincias.
Tel.: 91 319 41 38 www.aecc.es

FEDERACIÓN ESPAÑOLA DE CÁNCER DE MAMA
Santander
Tel.: 628 709 961
www.fecma.org

FEDERACIÓ PER A L'EDUCACIÓ I FORMACIÓ EN CÁNCER (FEFOC)
Barcelona, Tel.: 93 217 21 82
www.fefoc.org y www.cancermama.org

GRUPO ESPAÑOL DE INVESTIGACIÓN EN CÁNCER DE MAMA (GEICAM)
www.geicam.org

GRUPO SOLTI
www.gruposolti.org

SOCIEDAD ESPAÑOLA DE ONCOLOGÍA MÉDICA (SEOM)
Ensayos Clínicos Internacionales
www.seom.org

ASOCIACIONES DE PACIENTES CON LINFEDEMA AMAL
Madrid, Tel.: 91 757 02 50
Email: amal@org.es

ASOCIACIÓN GALLEGA DEL LINFEDEMA
Villagarcía de Arosa, Tel.: 618 30 75 62

ADELPRISE
Vitoria,Tel.: 946 22 60 61

ADPLA
Zaragoza, Tel.: 650 83 53 45

ASOCIACIONES INTERNACIONALES

AMERICAN CANCER SOCIETY (ACS)
También en español: www.cancer.org

NATIONAL CANCER INSTITUTE (INC)
También en español: www.cancer.gov

→ BIBLIOGRAFÍA RECOMENDADA:

Hoy en día la facilidad de difusión de información a través de libros, revistas y otros formatos de prensa puede ser de gran utilidad para aproximar el conocimiento a las pacientes. A su vez, la llegada de Internet a nuestros hogares nos ha dotado de la inmediatez y de accesibilidad a todas las fuentes de información del mundo. Esta enorme cantidad de información puede ser contraproducente si no sabemos manejarla e interpretarla correctamente. Siguiendo las líneas en las que hemos basado este libro, claridad y objetividad, recomendamos las siguientes fuentes bibliográficas:

Libros:

→ Diccionario LID de Cirugía Plástica, Reparadora y Estética
M. Vaquero y G. Gómez Bajo
LID EDITORIAL EMPRESARIAL 2009

→ Vivir con Cáncer de Mama
J. Link
EDICIONES ROBINBOOK 2003

→ Cáncer de mama. Mini-manuales prácticos
E. Diaz Rubio, JA Garcia Sáenz, M Martín Jiménez
ARAN EDICIONES 2007

→ Cáncer de mama. Guías de tratamiento para las pacientes
J. Estapé
FEFOC 2001

→ The Boudica within. The extraordinary journey of women alter breast cancer and reconstruction
E. Sassoon
THE ERSKINE PRESS 2007

→ Be a Survivor. Your guide to Breast Cancer treatment
V. Lange
LANGE PRODUCTIONS 2006

→ A woman's decision. Breast care, treatment and reconstruction
K. Berger, J. Bostwick III
ST. MARTIN'S GRIFFTIN 1998

→Dr. Susan Love's breast book
S. Love
A MERLOYD LAWRENCE BOOK, DA CAPO PRESS 2005

→ Surgery of the breast
S. Spear
LIPPINCOTT WILLIAMS & WILKINS 2006

Internet (websites):

www.germa.es
Grupo Español de Reconstrucción
Mamaria Avanzada

www.reconstruccionmamaria.es
Web interactiva sobre reconstrucción mamaria
(Director Científico Dr. J. Masià)

www.diepflap.com
Web americana sobre reconstrucción mamaria
(Director Científico Dr. R. Allen)

www.breastrestoration.org
Web americana sobre reconstrucción mamaria
(Director Científico Dra. A. Spiegel)

www.secpre.org
Sociedad Española de Cirugía Plástica, Reparadora y Estética

www.sespm.es
Sociedad Española de Senología y Patología Mamaria

www.clinicaplanas.com
Clinica Planas.
Barcelona

www.santpau.es
Hospital de la Santa Creu i Sant Pau
(Universitat Autònoma de Barcelona)

→ AGRADECIMIENTOS

Son muchas las personas que merecerían constar en los agradecimientos de este libro. Y no sólo por la contribución directa a algunos de sus apartados, sino porque este trabajo es el fruto de una carrera profesional en la que ha participado no poca gente. Por eso, me disculpo de antemano si me dejo algún nombre en el tintero.

En primer lugar, quiero expresar mi más sincero agradecimiento a las seis pacientes que han aportado sus testimonios: sin ellos el libro hubiera resultado incompleto. En este sentido me gustaría destacar el excelente trabajo de la fotógrafa Ariadna Salvador. En este capítulo gráfico aparece también otra magnífica profesional de la fotografía, Judith Vizcarra, quien ha cedido –de forma desinteresada– parte de su extraordinario trabajo "El orgullo de la ausencia", donde se refleja la dureza de la mutilación mamaria y, a su vez, la fortaleza y las ganas de luchar de las mujeres que padecen el cáncer de mama.

No puedo olvidar a todos los colegas de otras especialidades con los que trabajo estrechamente y de los que he aprendido mucho sobre el cáncer de mama. Me gustaría nombrar en especial, por su colaboración directa en el libro, a los doctores Miguel Prats Esteve y Miquel Prats de Puig.

Por supuesto, tampoco puedo dejar de expresar toda mi gratitud a aquellos cirujanos plásticos que me han enseñado y con los que he crecido: Dalila Duarte, Pedro Serret, Martin Webster, John Boorman, Phillip Blondeel, Robert Allen y muchos otros. Una mención directa se merecen mis colegas pero sobre todo amigos, Gemma y Jose María Pons, que forman parte de mi equipo quirúrgico y con los que he vivido la trayectoria de todas y cada una de las pacientes.

En este proceso de atención a las pacientes intervienen otros profesionales esenciales: los anestesistas, las enfermeras y las secretarias. Sin su excelente trabajo y coordinación no podríamos ofrecer una asistencia tan completa y de calidad.

Entre las personas que han impulsado mi trayectoria destaca el profesor Jaime Planas, uno de los pioneros de la cirugía plástica española, excelente profesional y gran persona, que en los inicios de mi carrera profesional me ofreció la posibilidad de trabajar en su prestigioso centro.

De la misma forma quiero agradecer a la Fundación Jaime Planas todo el apoyo recibido para llevar adelante el proyecto de este libro.

En la misma línea aparece el agradecimiento a dos instituciones de prestigio internacional, a Clínica Planas y el Hospital de Sant Pau.

A mis padres, Teresa y Jaime, me sentiré siempre agradecido por todo lo que me han dado a lo largo de mi vida y por estar constantemente a mi lado.

Finalmente, mi más sincero y cariñoso agradecimiento a mi mujer, Elena, y a mis tres hijos, Mireia, Pau y Roger, por todo el apoyo, el afecto y la comprensión sin los que no hubiera podido realizar ni este trabajo ni la mayoría de los que he emprendido en mi vida profesional.

Jaume Masià

Barcelona, 23 de abril de 2009